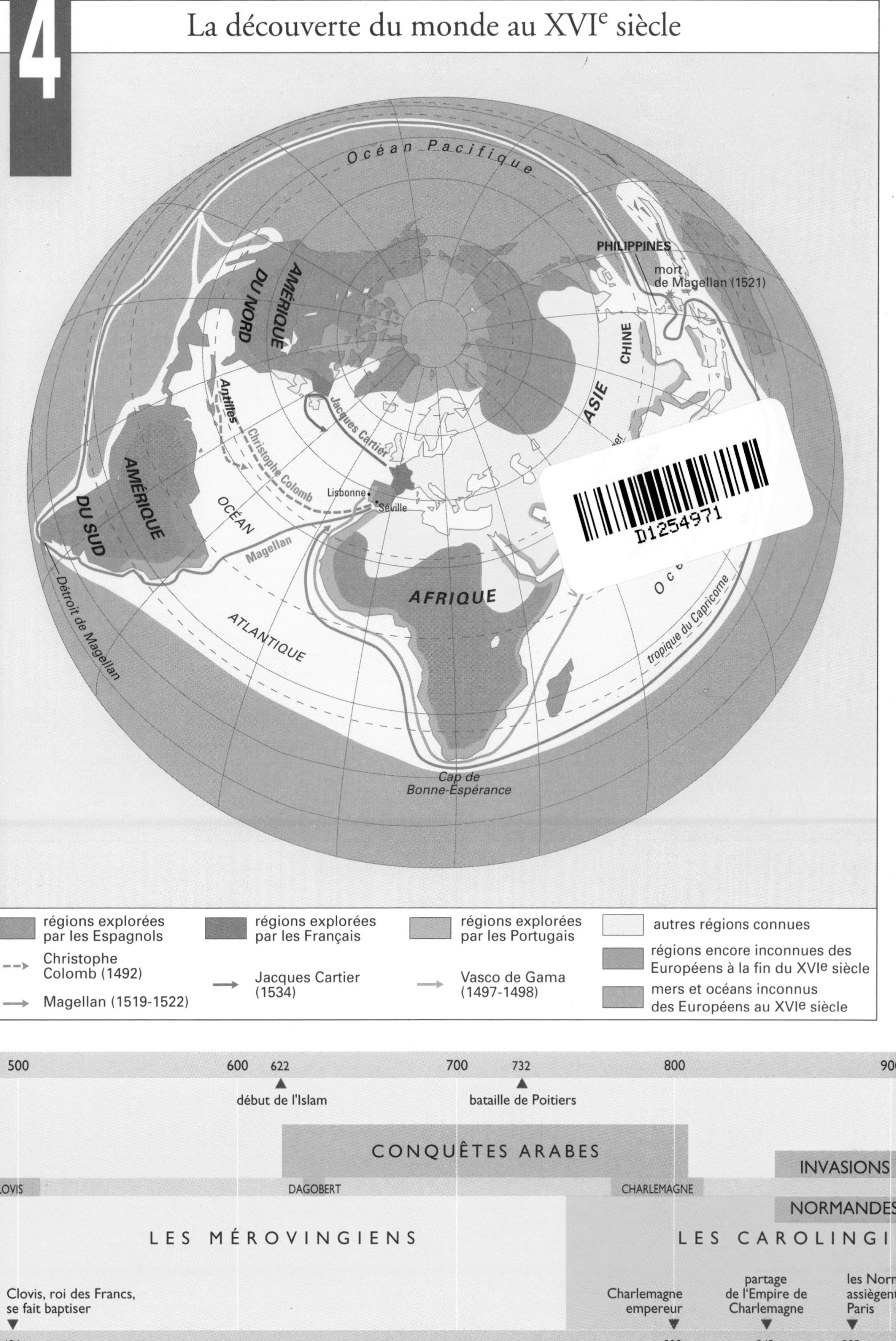
4
La découverte du monde au XVIe siècle
Océan Pacifique
PHILIPPINES
mort de Magellan (1521)
AMÉRIQUE DU NORD
CHINE
ASIE
Antilles
Jacques Cartier
Christophe Colomb
AMÉRIQUE DU SUD
OCÉAN
ATLANTIQUE
Lisbonne
Séville
Magellan
AFRIQUE
tropique du Capricorne
Détroit de Magellan
Cap de Bonne-Espérance
D1254971
régions explorées par les Espagnols
régions explorées par les Français
régions explorées par les Portugais
autres régions connues
Christophe Colomb (1492)
Jacques Cartier (1534)
Vasco de Gama (1497-1498)
régions encore inconnues des Européens à la fin du XVIe siècle
Magellan (1519-1522)
mers et océans inconnus des Européens au XVIe siècle
500
600
622
700
732
800
début de l'Islam
bataille de Poitiers
CONQUÊTES ARABES
INVASIONS
NORMANDES
LOVIS
DAGOBERT
CHARLEMAGNE
LES MÉROVINGIENS
LES CAROLINGI
Clovis, roi des Francs, se fait baptiser
496
Charlemagne empereur
800
partage de l'Empire de Charlemagne
843
885

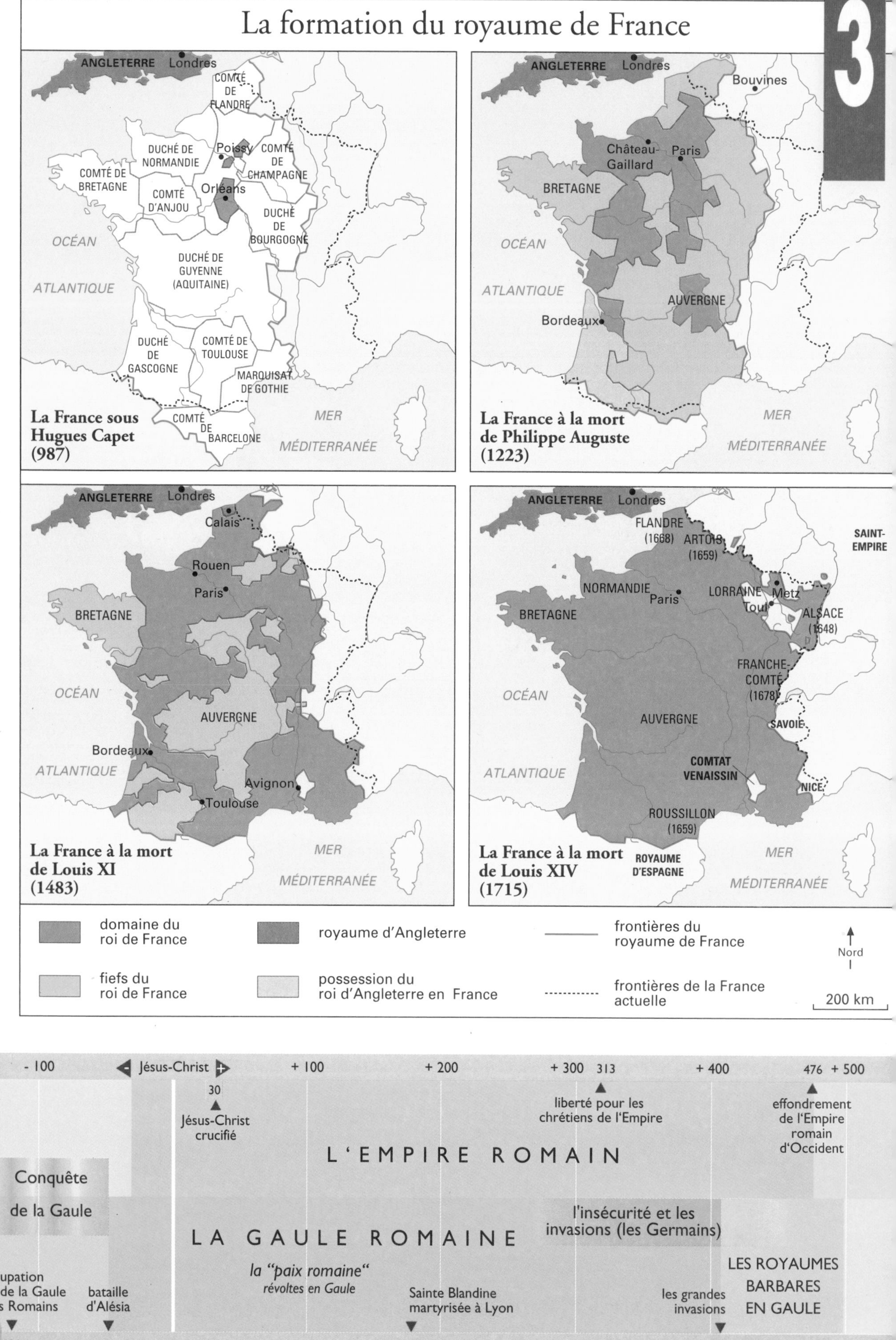
3
La formation du royaume de France
La France sous Hugues Capet (987)
ANGLETERRE
Londres
COMTÉ DE FLANDRE
DUCHÉ DE NORMANDIE
Poissy
COMTÉ DE CHAMPAGNE
COMTÉ DE BRETAGNE
COMTÉ D'ANJOU
Orléans
DUCHÉ DE BOURGOGNE
OCÉAN
ATLANTIQUE
DUCHÉ DE GUYENNE (AQUITAINE)
DUCHÉ DE GASCOGNE
COMTÉ DE TOULOUSE
MARQUISAT DE GOTHIE
COMTÉ DE BARCELONE
MER
MÉDITERRANÉE
La France à la mort de Philippe Auguste (1223)
ANGLETERRE
Londres
Bouvines
Château-Gaillard
Paris
BRETAGNE
OCÉAN
ATLANTIQUE
AUVERGNE
Bordeaux
MER
MÉDITERRANÉE
La France à la mort de Louis XI (1483)
ANGLETERRE
Londres
Calais
Rouen
Paris
BRETAGNE
OCÉAN
ATLANTIQUE
AUVERGNE
Bordeaux
Avignon
Toulouse
MER
MÉDITERRANÉE
La France à la mort de Louis XIV (1715)
ANGLETERRE
Londres
FLANDRE (1668)
ARTOIS (1659)
SAINT-EMPIRE
NORMANDIE
Paris
LORRAINE
Metz
Toul
ALSACE (1648)
BRETAGNE
FRANCHE-COMTÉ (1678)
OCÉAN
ATLANTIQUE
AUVERGNE
SAVOIE
COMTAT VENAISSIN
NICE
ROUSSILLON (1659)
ROYAUME D'ESPAGNE
MER
MÉDITERRANÉE
domaine du roi de France
royaume d'Angleterre
frontières du royaume de France
fiefs du roi de France
possession du roi d'Angleterre en France
frontières de la France actuelle
Nord
200 km
- 100
Jésus-Christ
+ 100
+ 200
+ 300
313
+ 400
476
+ 500
30
Jésus-Christ crucifié
liberté pour les chrétiens de l'Empire
effondrement de l'Empire romain d'Occident
L'EMPIRE ROMAIN
Conquête de la Gaule
LA GAULE ROMAINE
l'insécurité et les invasions (les Germains)
la "paix romaine"
révoltes en Gaule
LES ROYAUMES BARBARES EN GAULE
bataille d'Alésia
Sainte Blandine martyrisée à Lyon
les grandes invasions
- 52
177
406

5 La France à la veille de la Révolution de 1789

Le pouvoir du roi varie selon les provinces

- pays d'élection : l'autorité du roi est complète
- pays d'État : le pouvoir du roi n'est pas total. Le roi partage le pouvoir avec des assemblées provinciales.
- régions non encore françaises
- -------- frontières de la France actuelle

Nord

100 km

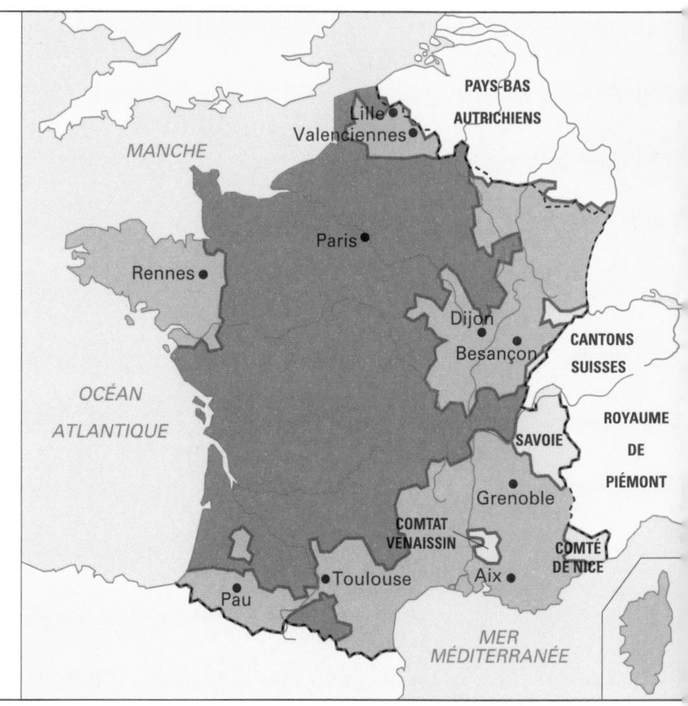

ANGLAIS
Dunkerque
Bruxelles
PAYS-BAS
Lille
Fleurus (1794)
Jemmapes (1792)
AUTRICHIENS, PRUSSIENS
MANCHE
Amiens
Mayence
Le Havre
Rouen
Wissembourg
Nancy
Versailles
Paris
Strasbourg
Valmy (1792)
Rennes
Le Mans
Mulhouse
Nantes
Orléans
Bâle
ANGLAIS
Cholet
OCÉAN
Lyon
Genève
SAVOIE
ATLANTIQUE
SARDES
Bordeaux
Avignon
COMTÉ DE NICE
Toulouse
Aix
Nice
Marseille
CORSE
ESPAGNOLS
MER
ANGLAIS
ESPAGNOLS
MÉDITERRANÉE

La France pendant la Révolution

- territoires conquis par la France au cours de la guerre (1792-1795)
- menaces ennemies en 1793
- insurrection vendéenne
- principales zones de troubles
- grandes batailles (1792-1794)
- ------ frontières de la France actuelle
- Le centre de la Révolution

100 km

1000 | 1099 | 1200 | 1300

1099 : Les croisés prennent Jérusalem

LES CROISADES

SAINT-LOUIS

PHILIPPE LE BEL

NS

LES CAPÉTIENS ROIS DE FRANCE

ands

ART ROMAN

ART GOTHIQUE

987 : Hugues Capet est élu roi

1214 : victoire de Philippe Auguste à Bouvines

2 L'empire romain au IIe siècle après J.-C

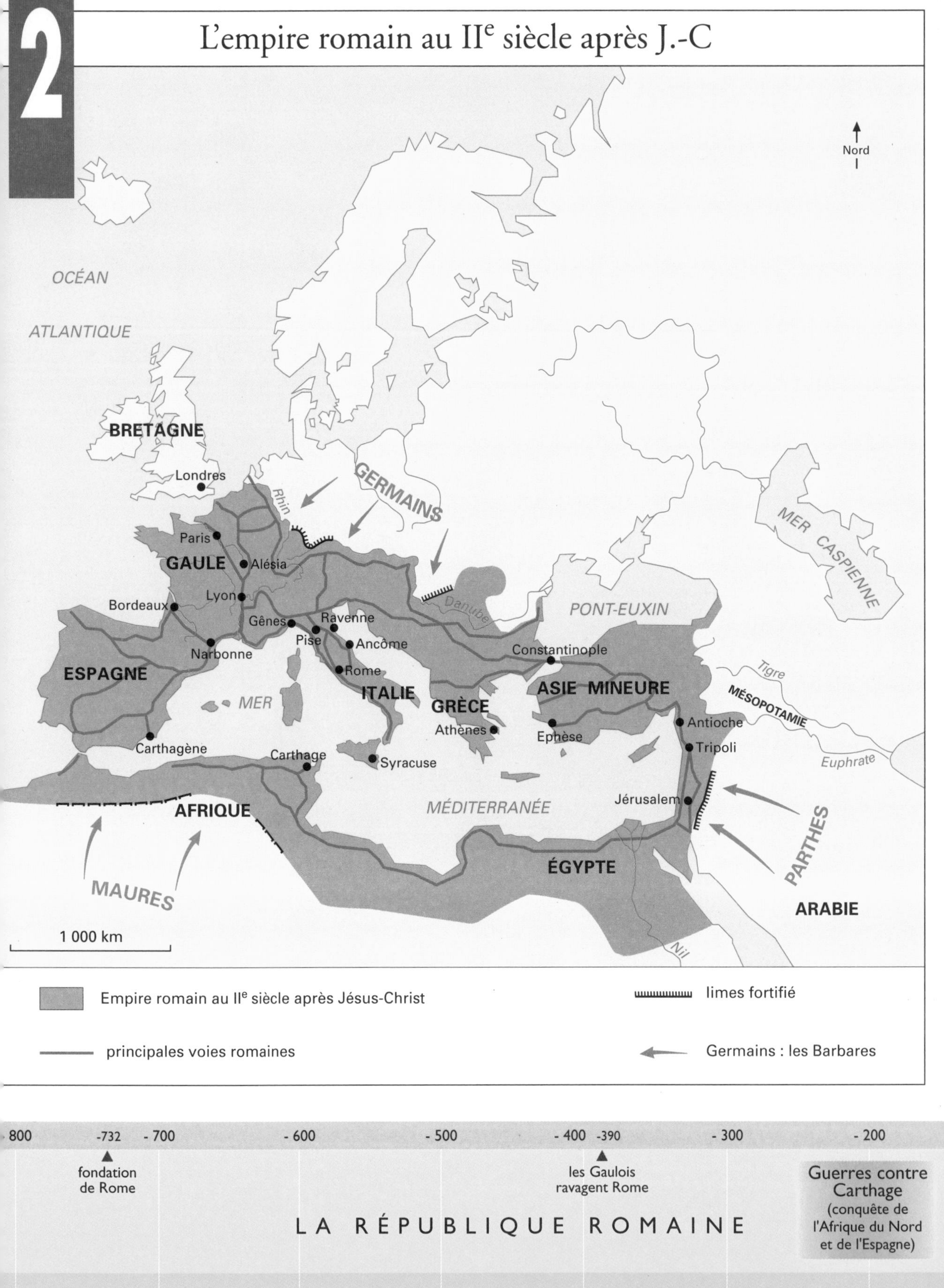

- 800 | -732 | - 700 | - 600 | - 500 | - 400 | -390 | - 300 | - 200

-732 ▲ fondation de Rome

-390 ▲ les Gaulois ravagent Rome

Guerres contre Carthage (conquête de l'Afrique du Nord et de l'Espagne)

LA RÉPUBLIQUE ROMAINE

LES CELTES EN GAULE

L'ÂGE DU FER

LA GAULE INDÉPENDANTE

c
du s
pa

6 Napoléon domine l'Europe

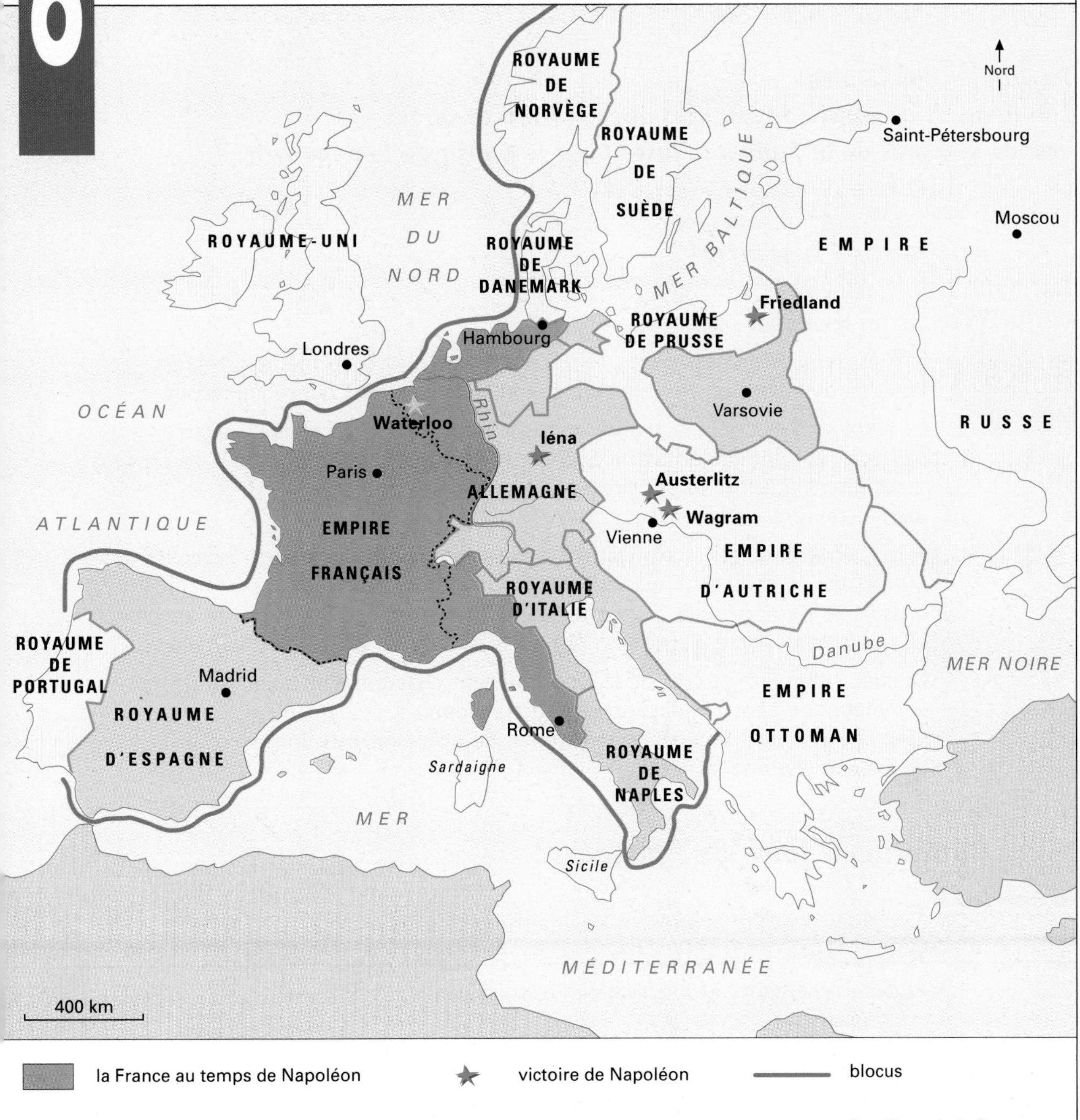

Nord
ROYAUME DE NORVÈGE
ROYAUME DE SUÈDE
Saint-Pétersbourg
Moscou
MER BALTIQUE
MER DU NORD
ROYAUME-UNI
ROYAUME DE DANEMARK
EMPIRE RUSSE
Friedland
ROYAUME DE PRUSSE
Hambourg
Londres
Varsovie
OCÉAN ATLANTIQUE
Waterloo
Rhin
Iéna
Paris
ALLEMAGNE
Austerlitz
Wagram
Vienne
EMPIRE FRANÇAIS
EMPIRE D'AUTRICHE
ROYAUME D'ITALIE
ROYAUME DE PORTUGAL
Madrid
Danube
MER NOIRE
ROYAUME D'ESPAGNE
EMPIRE OTTOMAN
Rome
ROYAUME DE NAPLES
Sardaigne
Sicile
MER MÉDITERRANÉE
400 km
la France au temps de Napoléon
États dominés par Napoléon
victoire de Napoléon
défaite de Napoléon
blocus
frontières de la France actuelle

1400
1492 C. Colomb découvre l'Amérique
1500
1519-22 Tour du monde de Magellan
1534 J. Cartier atteint le Canada
1600
1608 Champlain fonde Québec
1679 Angleterre : Habeas Corpus (liberté individuelle)
1700
1776 déclaration d'Indépendance des États-Unis
1785-88 La Pérouse explore le Pacifique
CHARLES VII
LOUIS XI
FRANÇOIS Ier
HENRI IV
LOUIS XIII la Fronde
LOUIS XIV
LOUIS XV
LOUIS XVI
LA GUERRE DE CENT ANS
LA RENAISSANCE
LES GUERRES DE RELIGION
LE "GRAND SIÈCLE"
LE SIÈCLE DES LUMIÈRES
LA RÉVOLUTION
356 défaite de Poitiers
1429 Jeanne d'Arc victorieuse à Orléans
1453 Les Anglais quittent l'Aquitaine
1515 bataille de Marignan
1519 mort de Léonard de Vinci
1539 ordonnance de Villers-Cotterêts
1572 massacre de la Saint-Barthélemy
1598 édit de Nantes
1685 révocation de l'édit de Nantes
1751 Diderot publie l'Encyclopédie
1789

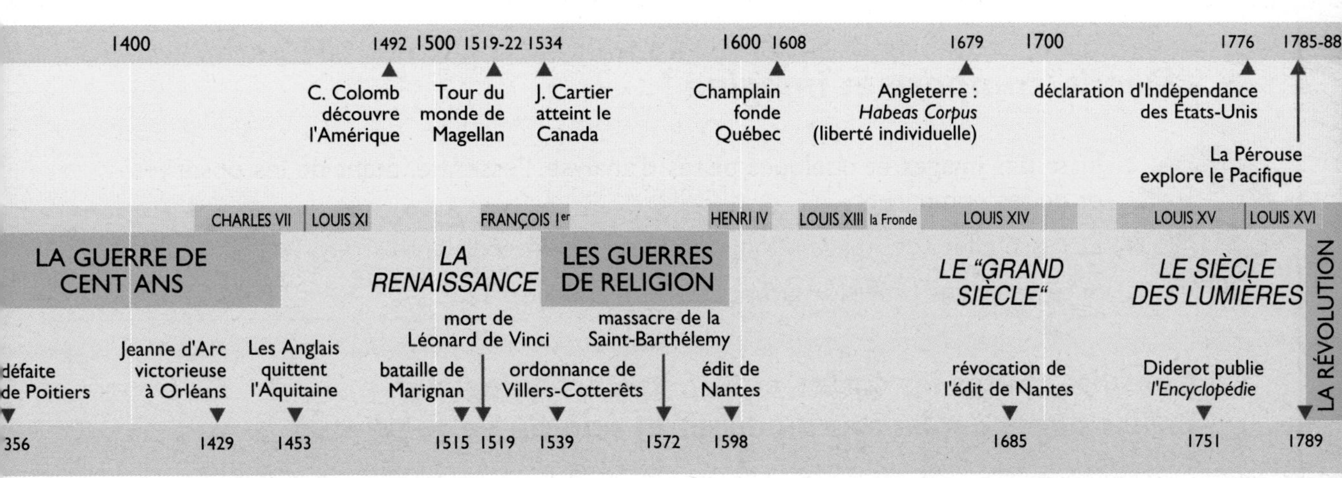

Découvre ton livre d'histoire !

Tu étudies l'HISTOIRE.
Ton livre est un outil dont tu dois apprendre à te servir.
Prends le temps de le feuilleter, juste pour le plaisir de le découvrir.

Apprends l'histoire !

Toutes les leçons ont six pages.

Sur les deux premières pages, tu découvriras d'abord un thème à travers une grande image, un texte historique et des questions qui te guideront.

Le texte de la leçon, à la troisième page, est découpé en trois ou quatre paragraphes. Une introduction présente l'essentiel du contenu de la leçon. Des titres intermédiaires te permettent de te repérer facilement dans le texte de la leçon.

À la quatrième page, tu trouveras l'explication des notions, c'est-à-dire les idées principales de la leçon. Ce sont pour toi des mots nouveaux, mais ils sont importants. Sur cette même page, une rubrique aborde un aspect de notre patrimoine historique. Tu pourras la lire en classe ou à la maison.

Les deux dernières pages de la leçon traitent chacune d'un sujet précis qui vient compléter ou approfondir le thème de la leçon.
Elles présentent des repères importants de notre histoire (un personnage, un événement, une légende...).

Apprends à faire de l'histoire !

Certaines pages te proposent des méthodes de travail.

Tu apprendras à lire et à étudier des documents (textes, monuments...) et des événements, et à écrire de l'histoire.

Approfondis une question !

À partir de documents divers sur un thème essentiel, tu apprendras à construire une synthèse.

Décris, compare et imagine !

Juste des images et quelques pistes d'analyse, l'essentiel étant de les observer et de les comparer.

Et laisse aller ton imagination, cela n'est pas interdit en histoire !

Si tu veux des précisions, reporte-toi à la page 142.

Consulte toutes les cartes et la frise chronologique sur les pages dépliantes au début et à la fin de ton livre !

Histoire

Jean-Louis Nembrini

Anne-Sylvie Moretti

Jacques Faux

Jacques Bordes

Sommaire

LEÇON 1
Les hommes de la préhistoire 6
Les premiers hommes 10
Lascaux 11

LEÇON 2
Gaulois et Gallo-romains 12
Vercingétorix et César 16
Les premiers chrétiens 17

LEÇON 3
Les Francs en Gaule 18
Le baptême de Clovis 22
Le vase de Soissons 23

Étudier des outils et des objets 24
Les premiers agriculteurs du néolithique

Nos ancêtres, les Celtes 26

Nos racines méditerranéennes 30

LEÇON 4
L'empire de Charlemagne 32
La chanson de Roland 36
Hugues Capet 37

LEÇON 5
La formation du royaume de France 38
Philippe Auguste 42
Les rois capétiens 43

LEÇON 6
Les rois de France et l'Europe chrétienne 44
La guerre de Cent Ans 48
Jeanne d'Arc 49

Étudier un monument 50
Saint-Sernin de Toulouse, une église romane

Campagnes et villes au Moyen Âge 52

Le temps des cathédrales 56

Conception et réalisation de la maquette intérieure : **Guylaine Moi** assistée de **Christophe Imo** ■ Conception et réalisation de la couverture : **Pierre Léotard** ■ P.A.O. et photogravure : **Nord Compo** ■ Recherche iconographique : **Chantal Hanoteau & Marie-Thérèse Mathivon** ■ Illustrations, schémas, cartographie intérieure et frise triliber : **Laurent Rullier** ■ Cartographie triliber : **Hachette Éducation** ■

I.S.B.N. 2. 01. 115947.4

LEÇON 7
La Renaissance 58
1515, Marignan 62
La Saint-Barthélemy 63

LEÇON 8
La monarchie absolue 64
Molière 68
Colbert 69

LEÇON 9
La Révolution française 70
La Déclaration des droits de l'homme 74
1792, la première République 75

LEÇON 10
Le Premier Empire 76
Napoléon Bonaparte, le stratège 80
Napoléon Bonaparte, le réformateur 81

Étudier un texte historique 82
Un extrait de cahier de doléances de 1789

Les grandes découvertes 84

Le règne d'Henri IV 88

LEÇON 11
La révolution industrielle 90
Pasteur 94
Pierre et Marie Curie 95

LEÇON 12
La démocratie et la République 96
Victor Hugo 100
L'école gratuite, laïque et obligatoire 101

LEÇON 13
L'Europe domine le monde 102
L'installation des Européens... 106
L'ouverture du monde... 107

Écrire un texte historique 108
La conquête du suffrage universel

La société française à la fin du XIXe 110

Des progrès techniques tout au long du XIXe siècle 114

LEÇON 14
Un siècle de guerres 116
Verdun 120
Hiroshima 121

LEÇON 15
Les progrès du XXe siècle 122
La conquête de l'espace 126
Les relations Nord-Sud 127

LEÇON 16
La cinquième République 128
Les présidents de la Ve République 132
La France dans le monde 133

Étudier un événement historique 134
La chute du mur de Berlin, le 9 novembre 1989

L'Europe en construction 136

La France pendant la Seconde Guerre mondiale 140

Les mosaïques d'images 142

Les notions 143

En couverture :
Un trois mats anglais, par E. Adam, 1881. Musée de la Marine, Paris.

Portrait d'Henri IV en cuirasse et panache blanc, École française du XVIe siècle. Château de Versailles.

Les hommes

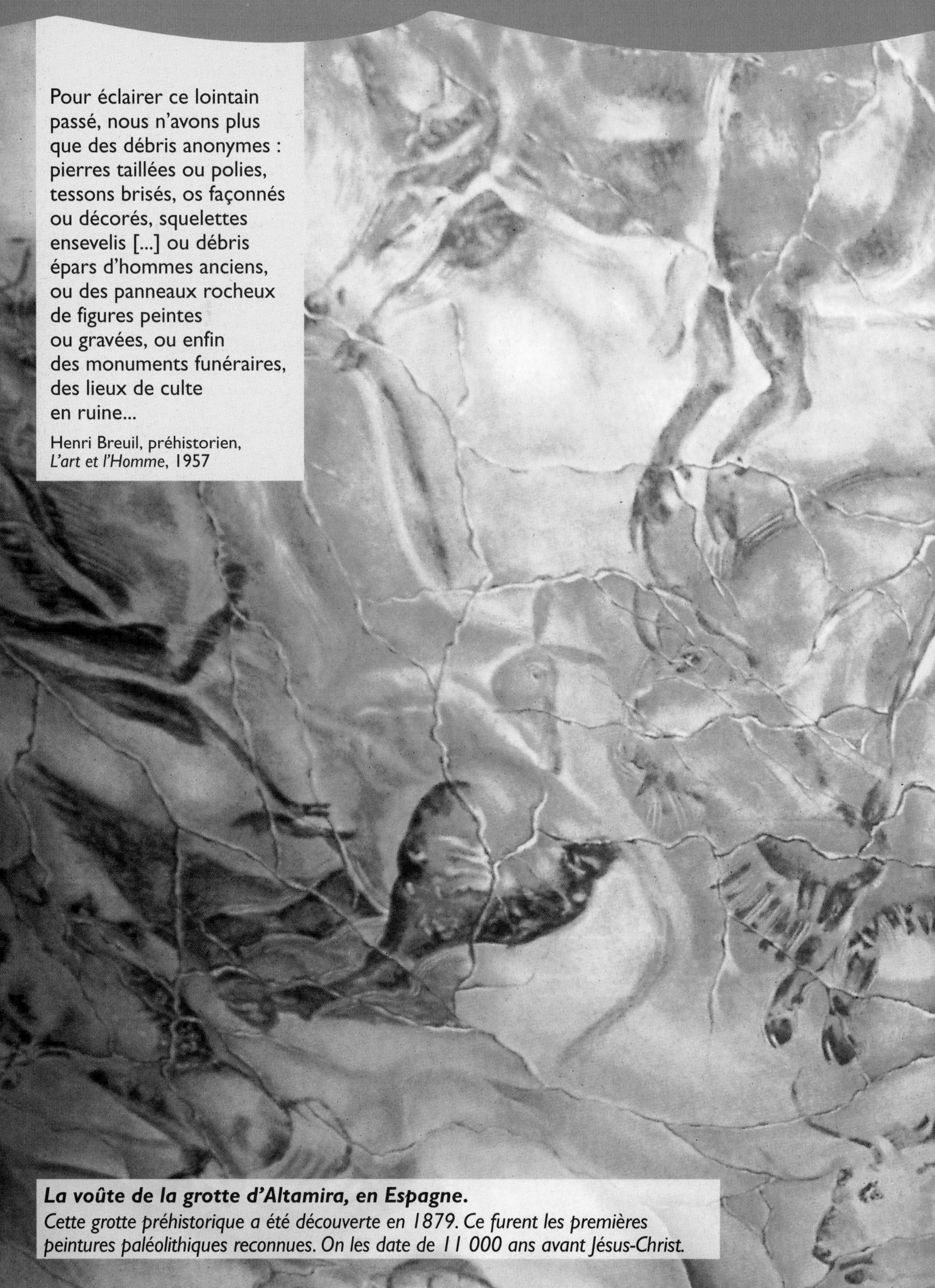

Pour éclairer ce lointain passé, nous n'avons plus que des débris anonymes : pierres taillées ou polies, tessons brisés, os façonnés ou décorés, squelettes ensevelis [...] ou débris épars d'hommes anciens, ou des panneaux rocheux de figures peintes ou gravées, ou enfin des monuments funéraires, des lieux de culte en ruine...

Henri Breuil, préhistorien, *L'art et l'Homme*, 1957

La voûte de la grotte d'Altamira, en Espagne.
Cette grotte préhistorique a été découverte en 1879. Ce furent les premières peintures paléolithiques reconnues. On les date de 11 000 ans avant Jésus-Christ.

de la préhistoire

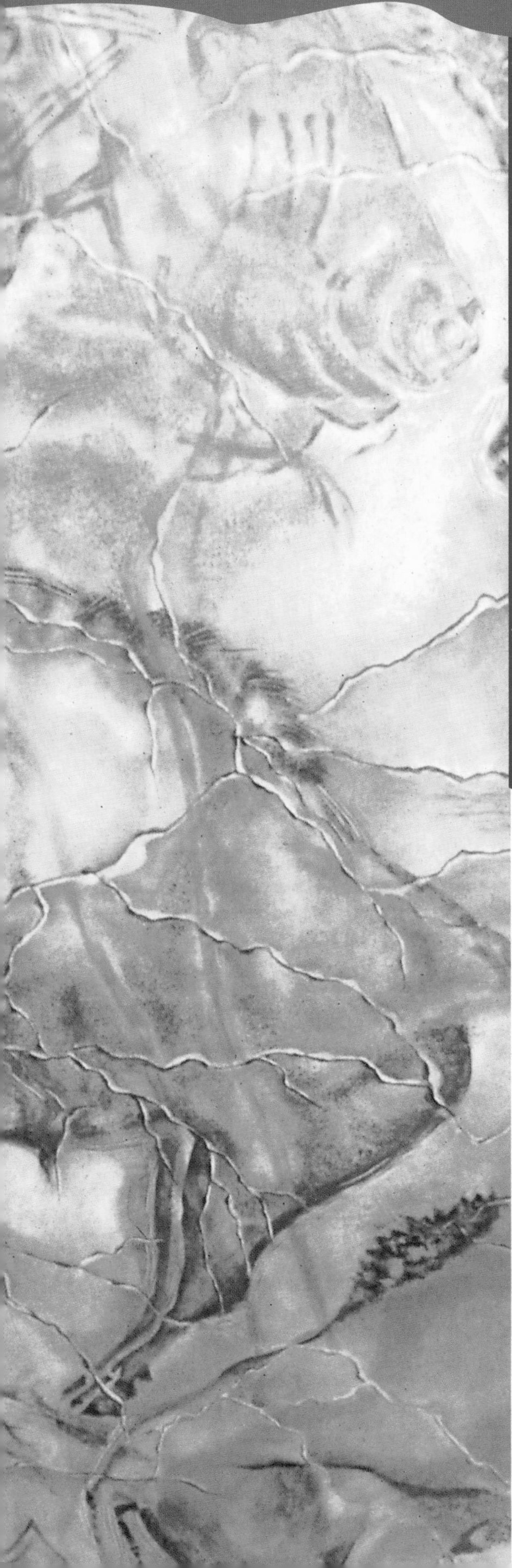

La préhistoire
est une très longue période
qui débute avec la naissance
de l'humanité, il y a environ
trois millions d'années,
et se termine lorsque les hommes
inventent l'écriture,
il y a cinq mille ans.
Seules les fouilles menées
par les archéologues
nous renseignent sur quelques
aspects de la vie quotidienne
des hommes de la préhistoire.

Observe la photo.

1. Cherche dans ton atlas où se trouve cette grotte. D'autres grottes ornées existent en France. Lesquelles ?

2. Quels animaux reconnais-tu ? Comment peut-on expliquer leur présence sur cette peinture ?

3. Quels problèmes ont dû résoudre les hommes qui ont peint ces parois sous terre ? Imagine certaines raisons qui ont pu amener des hommes à réaliser ces peintures.

Lis le texte.

4. Qui est l'auteur ?

5. De quoi parle-t-il lorsqu'il utilise l'expression « lointain passé » ?

6. Quelle expression évoque les grottes ornées ?

Les hommes de la préhistoire

Les préhistoriens pensent que les premiers hommes sont apparus en Afrique, il y a trois millions d'années. À l'époque paléolithique, les hommes étaient des chasseurs et fabriquaient des outils de pierre taillée. À l'époque néolithique, ils découvrirent l'agriculture, l'élevage et la poterie. Plus tard, ils apprirent à fabriquer des objets en métal.

Les premiers hommes sont apparus en Afrique

C'est en Afrique que les archéologues ont trouvé les plus anciennes traces d'êtres humains, vieilles de deux à trois millions d'années. Ces premiers hommes marchaient debout. Ils cassaient des pierres pour s'en servir comme outils. Ils peuplèrent progressivement toute l'Afrique, l'Asie et l'Europe.

À l'époque paléolithique, ils étaient chasseurs

Pendant les centaines de millénaires que dura l'époque paléolithique, les hommes vivaient en petits groupes, se déplaçant à la recherche de gibier et de fruits sauvages. Ils habitaient des cabanes couvertes de branchages ou de peaux de bêtes, construites parfois à l'entrée des grottes. Il y a 700 000 ans, ils apprirent à faire du feu et purent désormais manger des aliments cuits, se chauffer et se protéger des bêtes sauvages.
La taille des outils en pierre se perfectionna. Les hommes travaillaient aussi le bois de rennes et les os.
L'aspect physique des premiers hommes se modifia progressivement : leur corps se redressa, leurs mains devinrent plus habiles pour fabriquer des objets, leur capacité à réfléchir augmenta. 30 000 ans avant notre ère, ils étaient déjà semblables à nous.
Certains de ces chasseurs furent de véritables artistes, comme en témoignent certaines grottes. Les archéologues parviennent à reconstituer certains aspects de la vie quotidienne des hommes de la préhistoire. Malheureusement, malgré les progrès de la connaissance, nous ne saurons jamais rien de leur langage, ni de leurs croyances, ni de leur vie en société, puisqu'ils n'ont pas laissé de textes écrits.

À l'époque néolithique, ils devinrent agriculteurs

Environ 8 000 ans avant notre ère, au Moyen-Orient, les hommes commencèrent à produire leur nourriture. Devenus bergers, ils élevaient des chèvres, puis des moutons. Ils commencèrent aussi à cultiver des céréales et se rassemblèrent en villages. Vers 6 000 avant Jésus-Christ, les chasseurs d'Europe occidentale se mirent à leur tour à pratiquer l'élevage et l'agriculture.
La chasse et la cueillette devinrent moins importantes dans leur nourriture.
Vers 2 000 avant J.-C., les hommes se mirent à utiliser le métal pour fabriquer des armes et des bijoux. Ils utilisèrent d'abord le bronze (2 000 av. J.-C.), puis le fer (800 av. J.-C.).
L'écriture apparut au Moyen-Orient 3 400 ans avant notre ère : plus de 2 000 ans avant l'Europe, les peuples du Moyen-Orient sortirent de la préhistoire.

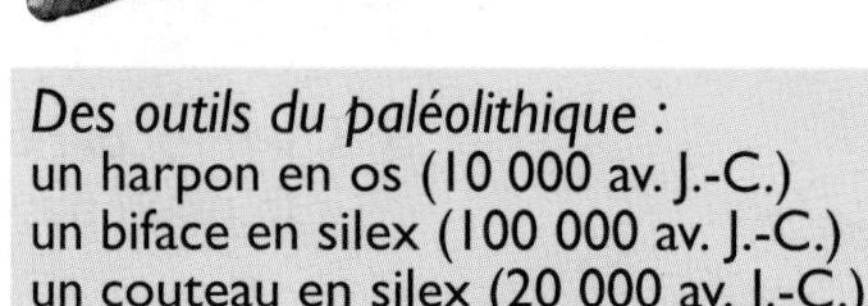

Des outils du paléolithique :
un harpon en os (10 000 av. J.-C.)
un biface en silex (100 000 av. J.-C.)
un couteau en silex (20 000 av. J.-C.)

Notions

- **La préhistoire**
  C'est toute la période qui va des origines de l'Homme à l'invention de l'écriture.

- **Le paléolithique**
  Ce terme savant signifie « pierre ancienne ». C'est l'époque de la préhistoire qui va des origines de l'Homme à l'invention de l'agriculture.

- **Le néolithique**
  Ce terme savant signifie « pierre nouvelle ». C'est l'époque de la préhistoire qui va de l'invention de l'agriculture à l'invention de l'écriture.

Des outils du néolithique :
deux haches de cuivre (2 000 av. J.-C.)
une épée de bronze (1 000 av. J.-C.)

CARNAC

Les menhirs de Carnac étaient au moins 10 000 à l'époque néolithique (4 500 - 2 000 av. J.-C.). Il en reste 3 000. Au lieu-dit « le Menec », onze rangées presque parallèles de menhirs sont alignées sur un kilomètre de long. Chacun de ces menhirs mesure environ 4 mètres de haut.

On trouve des menhirs dans toute l'Europe occidentale : ils sont parfois disposés en ligne (comme à Carnac) ou en cercle (comme à Stonehenge, en Angleterre), mais ils sont le plus souvent isolés.
On ne sait pas dans quel but des hommes ont dressé ces pierres gigantesques. Historiens et archéologues retiennent les hypothèses suivantes : ces alignements auraient été construits en l'honneur de divinités ; ils auraient pu aussi servir à des observations astronomiques.
La taille et le transport de ces pierres énormes ont certainement posé des problèmes aux hommes du néolithique. Il fallait la force de deux à trois cents hommes réunis pour tirer chacune de ces pierres sur un chariot ou la traîner sur des rondins de bois. Les hommes de cette époque savaient déjà mettre en commun leurs savoirs.
Ces menhirs sont, en Europe, les premiers monuments construits par les hommes.

Les premiers hommes

En Afrique, Lucy a un peu plus de trois millions d'années !

Les restes du squelette de Lucy ont été trouvés en Éthiopie (en Afrique orientale) en 1974 par une équipe d'archéologues. La reconstitution de son squelette nous a appris que :

- Il mesurait 1,20 m.
- Il a vécu environ 25 ans.
- Il était végétarien et ne mangeait que des fruits et des racines.
- Il était bipède, mais savait très bien grimper aux arbres.
- C'était peut-être une femme.

Pourquoi la découverte de Lucy est-elle importante ?

- C'est le plus ancien squelette humain que l'on ait retrouvé.
- Y. Coppens, l'archéologue qui l'a découvert et étudié, le considère comme, « un des premiers représentants de notre famille humaine ».

Lucy.
Une reconstitution.

Le crâne découvert à Tautavel en 1971.

L'homme de Tautavel.
Un dessin reconstituant son aspect physique.

En Europe, l'homme de Tautavel a 450 000 ans

L'homme serait apparu en Europe il y a à peu près un million d'années. C'est l'âge des outils les plus anciens trouvés sur notre continent. Mais aucun reste humain aussi ancien n'a été retrouvé jusqu'à maintenant ; le plus ancien est un crâne d'homme découvert en 1971 dans une grotte des Pyrénées-Orientales à Tautavel, près de Perpignan. Il aurait 450 000 ans.

Cet homme fabriquait des outils en os et en pierre taillée (bifaces) pour tuer et dépecer le gibier. On l'a longtemps appelé « le plus vieil européen ». Ce n'est peut-être plus vrai : en 1993, des archéologues anglais ont découvert dans le sud de l'Angleterre un morceau de tibia humain qui serait vieux de 500 000 ans !

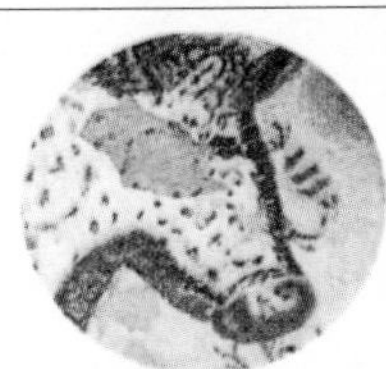

LASCAUX

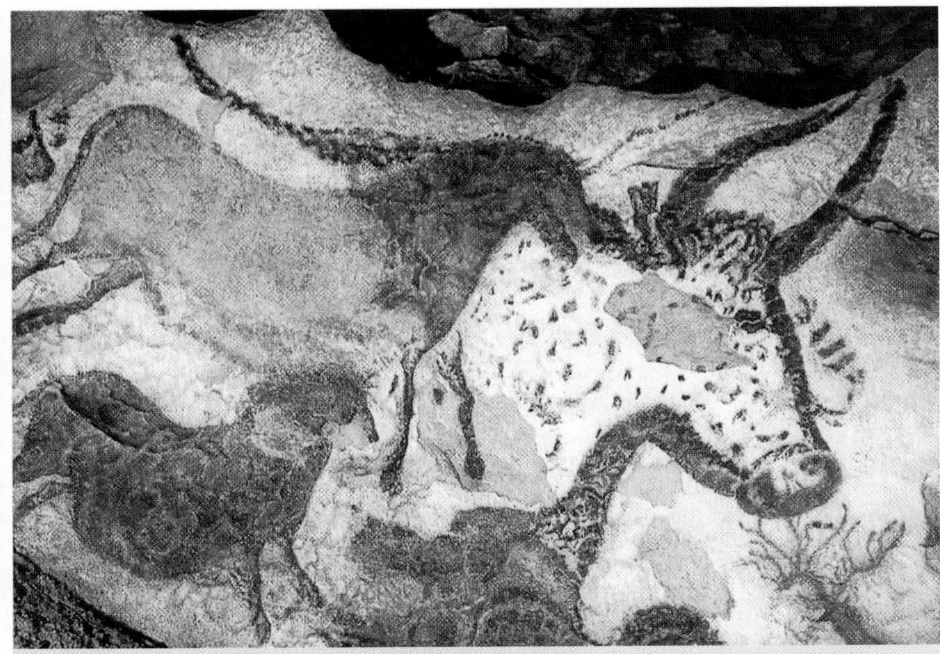

La grotte de Lascaux (en Dordogne).
Un des premiers ensembles de peintures préhistoriques découverts au XXe siècle.

L'HISTOIRE DE LASCAUX AU XXe SIÈCLE

1940 : quatre adolescents découvrent la grotte par hasard.

1948 : la grotte est ouverte au public. C'est un succès immédiat.

1963 : des algues vertes apportées par les chaussures des centaines de milliers de visiteurs commencent à recouvrir les peintures. La grotte doit être fermée au public.

1983 : après dix ans de travaux : Lascaux 2 s'ouvre au public. C'est, près du site d'origine, une reconstitution qui reproduit fidèlement le relief et les peintures de la grotte originale.

La grotte de Lascaux est située sur une colline qui domine la vallée de la Vézère. Cette vallée abrite un très grand nombre de sites remarquables par l'abondance de vestiges préhistoriques : grottes ornées de peintures ou de gravures ; milliers d'outils et d'armes en silex ou en os, centaines d'objets sculptés.

Ce qu'on voit à Lascaux

Plus d'un millier de représentations :
- des animaux surtout (chevaux, taureaux, vaches et bisons sont les plus nombreux ; les cerfs, quelques félins, un ours, un rhinocéros...) ;
- des figures schématiques (points, rectangles, croix...).

Ce qu'on a trouvé sur le sol de Lascaux

- Une dizaine de pierres ayant servi de lampes à graisse pour l'éclairage.
- De grandes quantités de colorants (ocre rouge, jaune ou noir obtenus à partir de terres colorées).
- Des silex taillés, des sagaies en bois de renne, des coquillages et quelques ossements d'animaux.

Ce que nous apprend Lascaux

- Il y a 15 000 ans, les hommes étaient suffisamment organisés en société pour réussir à réaliser ces œuvres d'art dans des conditions difficiles.
- Ces hommes n'habitaient pas la grotte, trop profonde et trop obscure. Nous ne savons pas dans quel but ils ont représenté ces animaux : la grotte était-elle un lieu sacré ? Les animaux étaient-ils représentés dans un but magique, pour faciliter la chasse ?
- Les peintures de ces grottes ornées sont fragiles ; il faut les protéger car un trop grand nombre de visiteurs peut entraîner leur destruction. C'est pourquoi certaines grottes nouvellement découvertes ne seront jamais ouvertes au public.

Gaulois et

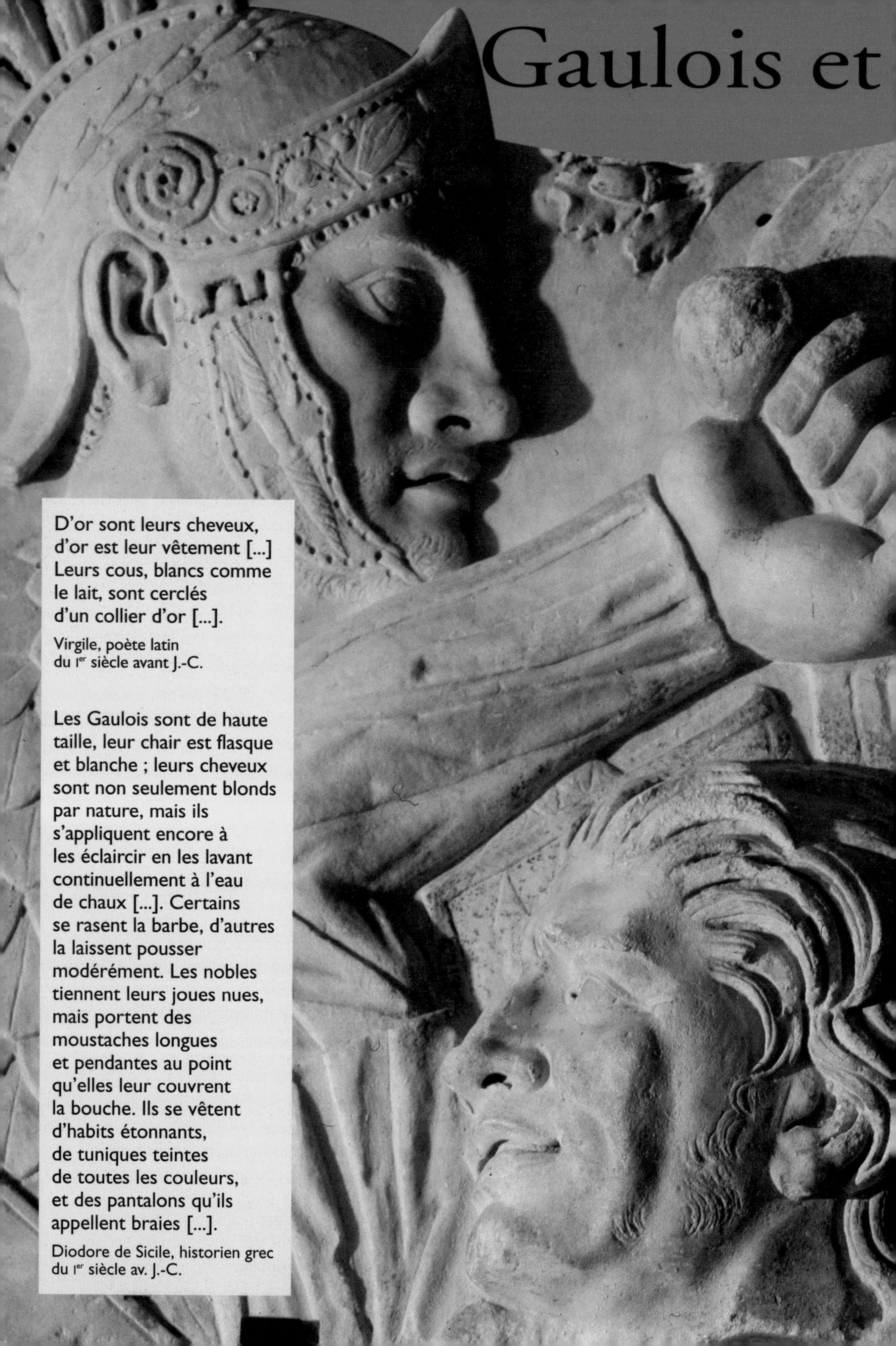

D'or sont leurs cheveux, d'or est leur vêtement [...] Leurs cous, blancs comme le lait, sont cerclés d'un collier d'or [...].

Virgile, poète latin du Ier siècle avant J.-C.

Les Gaulois sont de haute taille, leur chair est flasque et blanche ; leurs cheveux sont non seulement blonds par nature, mais ils s'appliquent encore à les éclaircir en les lavant continuellement à l'eau de chaux [...]. Certains se rasent la barbe, d'autres la laissent pousser modérément. Les nobles tiennent leurs joues nues, mais portent des moustaches longues et pendantes au point qu'elles leur couvrent la bouche. Ils se vêtent d'habits étonnants, de tuniques teintes de toutes les couleurs, et des pantalons qu'ils appellent braies [...].

Diodore de Sicile, historien grec du Ier siècle av. J.-C.

Gallo-romains

Les peuples celtes installés en Gaule depuis six siècles furent vaincus par les légions romaines en 52 avant Jésus-Christ. Les Gaulois durent accepter la domination de la ville de Rome. Ils adoptèrent progressivement la langue et les façons de vivre des Romains. Du Ier siècle avant J.-C. au Ve siècle après J.-C., une nouvelle civilisation s'épanouit en Gaule : la civilisation gallo-romaine.

Observe le bas-relief.

1. Où est le Romain ? Où est le Gaulois ?

2. Quels sentiments peux-tu lire sur le visage du Gaulois ?

3. À ton avis, pour quelles raisons ces hommes se battent-ils ?

Lis les deux textes.

4. Qui sont les auteurs ?

5. Que nous apprennent ces textes sur l'aspect physique des Gaulois ?

6. Virgile et Diodore parlent des Gaulois, mais pas de la même façon. Qu'est-ce qui fait la différence entre les deux textes ?

uerrier gaulois et soldat romain.
Jn bas-relief romain du début du IIe siècle.

Les Gaulois étaient divisés en plusieurs peuples rivaux. La civilisation gauloise, grâce à la maîtrise du fer et à une agriculture efficace, était brillante. En 52 avant Jésus-Christ, le général romain Jules César fit la conquête de la Gaule. Ce fut le début d'une longue période de paix et d'une civilisation nouvelle.

La Gaule, une région riche dans l'Antiquité

Au Ier siècle avant notre ère, les peuples celtes vivant sur le territoire de la France actuelle étaient appelés « Gaulois » par les Romains. Les Gaulois ne formaient pas un peuple uni par un seul gouvernement. Plus de cinquante peuples vivaient en Gaule, comme les Arvernes dont Vercingétorix était le chef. Souvent, la guerre éclatait entre peuples voisins.

Les Gaulois et les Romains se connaissaient depuis longtemps. Les Romains avaient peur des Gaulois depuis que ces derniers avaient pillé Rome, en Italie, en 390 av. J.-C. Ils les méprisaient aussi beaucoup. Mais ils faisaient du commerce avec eux car les campagnes et les villes gauloises étaient riches. Les Romains vendaient de l'huile et du vin aux Gaulois, et Rome avait besoin des armes, des tissus, et surtout du blé de Gaule.

Une scène d'école.
Un bas-relief funéraire de l'époque gallo-romaine.

Rome, une cité conquérante

Rome était devenue de plus en plus puissante grâce à une armée très organisée. Elle avait déjà conquis le sud-est de la Gaule où elle avait fondé la province de la Narbonnaise, en 125 avant J.-C. De 58 à 52 avant J.-C., le général romain Jules César envahit le reste de la Gaule : les richesses de la Gaule attiraient les Romains et César rêvait de gloire.

Sous la conduite du prince arverne Vercingétorix, des peuples gaulois se révoltèrent en 52 avant J.-C. Malgré un succès à Gergovie, Vercingétorix, enfermé dans Alésia assiégée, dut se rendre.

La Gaule, une province devenue romaine

Les Gaulois finirent par accepter la domination romaine. Au fil des ans, les riches et les habitants des villes apprirent le latin, la langue des Romains. Ils se mirent à adorer les dieux romains, à construire leurs villes sur le modèle des villes romaines...

La civilisation gallo-romaine était née.

Les Romains exigeaient des Gaulois l'impôt et l'obéissance, mais ils leur laissaient une certaine liberté. Ainsi la paix fut durable, les campagnes et le commerce prospérèrent et beaucoup de Gaulois s'enrichirent. Les soldats gaulois avaient le droit de servir dans l'armée romaine. Certains nobles gaulois purent devenir citoyens romains, ce qui était un honneur. À partir des années 300, une nouvelle religion, prêchée en Palestine trois siècles auparavant par Jésus-Christ, se répandit en Gaule. Cette religion, le christianisme, se fonde sur l'enseignement de Jésus contenu dans des textes écrits après sa mort : les Évangiles.

Notions

- **Un citoyen**
Chez les Romains, ce sont les hommes qui ont le « droit de cité ». Ils ont le droit de vote pour élire les assemblées et les chefs qui les gouvernent. Un citoyen romain doit servir dans l'armée (la légion). Les femmes et les très nombreux esclaves n'étaient pas citoyens.

- **Une civilisation**
C'est l'ensemble des façons de vivre (travail, habitation...), de penser (art, religion...), de s'organiser (gouvernement...) qui distinguent un peuple d'un autre peuple. On parle de civilisation gauloise, grecque, romaine, etc.

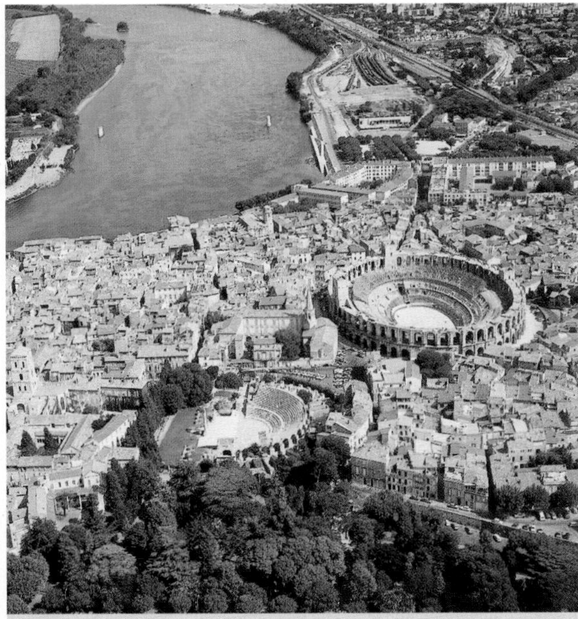

Le centre d'Arles aujourd'hui.
Arles fut fondée vers 50 av. J.-C. par les Romains. Le poète gallo-romain Ausone la qualifia de « petite Rome gauloise ». On distingue au premier plan le théâtre où acteurs et chanteurs se produisaient et, un peu en arrière, l'amphithéâtre – ou arènes – où combattaient les gladiateurs.

LE PONT DU GARD

Édifié vers 50 après J.-C., le pont permettait le passage d'un aqueduc. Cette canalisation de 49 kilomètres amenait l'eau des Garrigues au pied du Massif central jusqu'à la ville de Nîmes. Le pont, avec ses trois rangées d'arches superposées, enjambe la vallée du Gard.

Le pont du Gard (49 m de hauteur, 260 m de longueur)

Les villes gallo-romaines consommaient beaucoup d'eau. Les aqueducs alimentaient les fontaines publiques et les thermes, établissements de bains très appréciés à cette époque.
L'eau servait aussi à nettoyer les égouts...
Les Romains (et les Gallo-romains) gaspillaient-ils l'eau courante ? Certains historiens le pensent.
La construction et l'entretien des aqueducs coûtaient très cher : des dépôts de boue empêchaient souvent l'eau de s'écouler.
Il fallait régulièrement enduire la canalisation de ciment imperméable pour éviter les fuites.
Cet aqueduc fonctionna jusqu'au VIe siècle, puis il servit de carrière de pierres aux habitants de la région.
Il fut restauré sur l'ordre de Napoléon III en 1857.

Vercingétorix et César

CHRONOLOGIE

101 av. J.-C. : Naissance de Caïus Julius Caesar – Jules César en français – dans une riche famille de la noblesse romaine.

Vers 72 av. J.-C. : Naissance de Vercingétorix, fils d'un chef militaire arverne.

58 av. J.-C. : Jules César entreprend la conquête de la Gaule.

53 av. J.-C. : Les Carnutes se révoltent contre les Romains ; ils sont écrasés.

52 av. J.-C. :
→ ***Janvier :*** Le peuple arverne choisit Vercingétorix pour chef.
→ ***Mai :*** À Gergovie, Vercingétorix inflige aux légions de César leur première défaite.
→ ***Juin :*** À Bibracte, les chefs gaulois choisissent Vercingétorix comme chef unique des armées gauloises.
→ ***Septembre :*** Les légions de César font le siège d'Alésia où sont enfermées les armées gauloises. Les Gaulois sont vaincus et Vercingétorix se rend à César. Les Romains sont maîtres de la Gaule.

46 av. J.-C. : Lors de la cérémonie de son « triomphe », César défile dans les rues de Rome avec son armée, les prisonniers et le butin qu'il a ramenés de la guerre. Parmi les prisonniers, figure Vercingétorix. César le fait assassiner après la cérémonie.

44 av. J.-C. : César, maître de Rome, est assassiné pour avoir voulu gouverner comme un véritable roi.

Vercingétorix, le prince gaulois vu par son ennemi Jules César

Vercingétorix convertit à sa cause tous ceux de ses compatriotes qu'il rencontre ; il les exhorte à prendre les armes pour la liberté de la Gaule [...].
Ses partisans le proclament roi. Il envoie des ambassades à tous les peuples. Il les supplie de rester fidèles à la parole jurée [...]. Il ordonne qu'un nombre déterminé de soldats lui soit amené sans délai, il fixe quelle quantité d'armes chaque cité doit fabriquer, et avant quelle date ; il donne un soin particulier à la cavalerie.
À la plus grande activité, il joint une sévérité extrême [...]

D'après Jules César,
Commentaires sur la guerre des Gaules.

Le siège d'Alésia et la défaite gauloise

Ceux qui tenaient Alésia, après avoir donné beaucoup de mal à César et après avoir eux-mêmes beaucoup souffert finirent par se rendre. Le chef suprême de la guerre, Vercingétorix, prit ses plus belles armes, para son cheval et franchit ainsi les portes de la ville. Il vint caracoler en cercle autour de César qui était assis, puis, sautant à bas de sa monture, il jeta toutes ses armes et s'assit aux pieds de César, où il ne bougea plus, jusqu'au moment où César le remit à ses gardes.

d'après Plutarque, historien grec du Ier siècle après J.-C., *Vie des hommes illustres grecs et romains, Vie de J. César.*

Voici comment un peintre de la fin du XIXe siècle a imaginé Vercingétorix se rendant à César.
Tableau de Henri-Paul Motte, 1886.

LES PREMIERS CHRÉTIENS

Qui sont les chrétiens ?

Les chrétiens croient en un seul dieu et aux idées prêchées par Jésus-Christ en Palestine dans les années 27-30.
Les textes essentiels de la religion chrétienne sont les Évangiles, rédigés après la mort du Christ, par les apôtres, ses compagnons. Ils y racontent sa vie et son enseignement.

Ce que croient les chrétiens :

- Que Jésus-Christ est le fils de Dieu.
- Qu'il est mort pour sauver les hommes, mais qu'il est ressuscité.
- Que les hommes ressusciteront après leur mort. Le Christ jugera alors leurs actions ; ceux qui auront commis de mauvaises actions iront en enfer, les justes iront au paradis.

À cette époque-là, il y eut un homme sage nommé Jésus dont la conduite était bonne ; ses vertus furent reconnues. Et beaucoup de Juifs et d'autres peuples se firent ses disciples. Et le gouverneur romain, Pilate, le condamna à être crucifié et à mourir.
Mais ceux qui s'étaient faits ses disciples prêchèrent sa doctrine. Ils racontent qu'il leur apparut trois jours après sa crucifixion et qu'il était vivant. Peut-être était-il le Messie dont les prophètes avaient annoncé la venue [...]

d'après Flavius-Josèphe, historien juif du Ier siècle ap. J.-C., *Antiquités judaïques (vers 93-94).*

Le Christ crucifié.
Panneau de coffre en ivoire du Ve siècle.

-1 +1	Naissance de Jésus
+30	Mort de Jésus-Christ
100	
177	Persécution des chrétiens à Lyon
200 à 202	Persécutions des chrétiens dans tout l'Empire romain
313	Conversion de Constantin
391	Le christianisme devient religion officielle

➢ **Le christianisme** se répandit peu à peu en Gaule. Au début, les chrétiens, qui refusaient la religion romaine, furent persécutés par les Romains. Les persécutions cessèrent en 313, lorsque l'empereur Constantin se convertit au christianisme. En 391, la religion chrétienne fut la seule religion autorisée dans l'Empire romain.

➢ **Aujourd'hui,** sur cinq milliards d'hommes, il y a environ un milliard et demi de chrétiens ; ils sont répartis en trois grands groupes : les catholiques, les protestants et les orthodoxes.

Les Francs

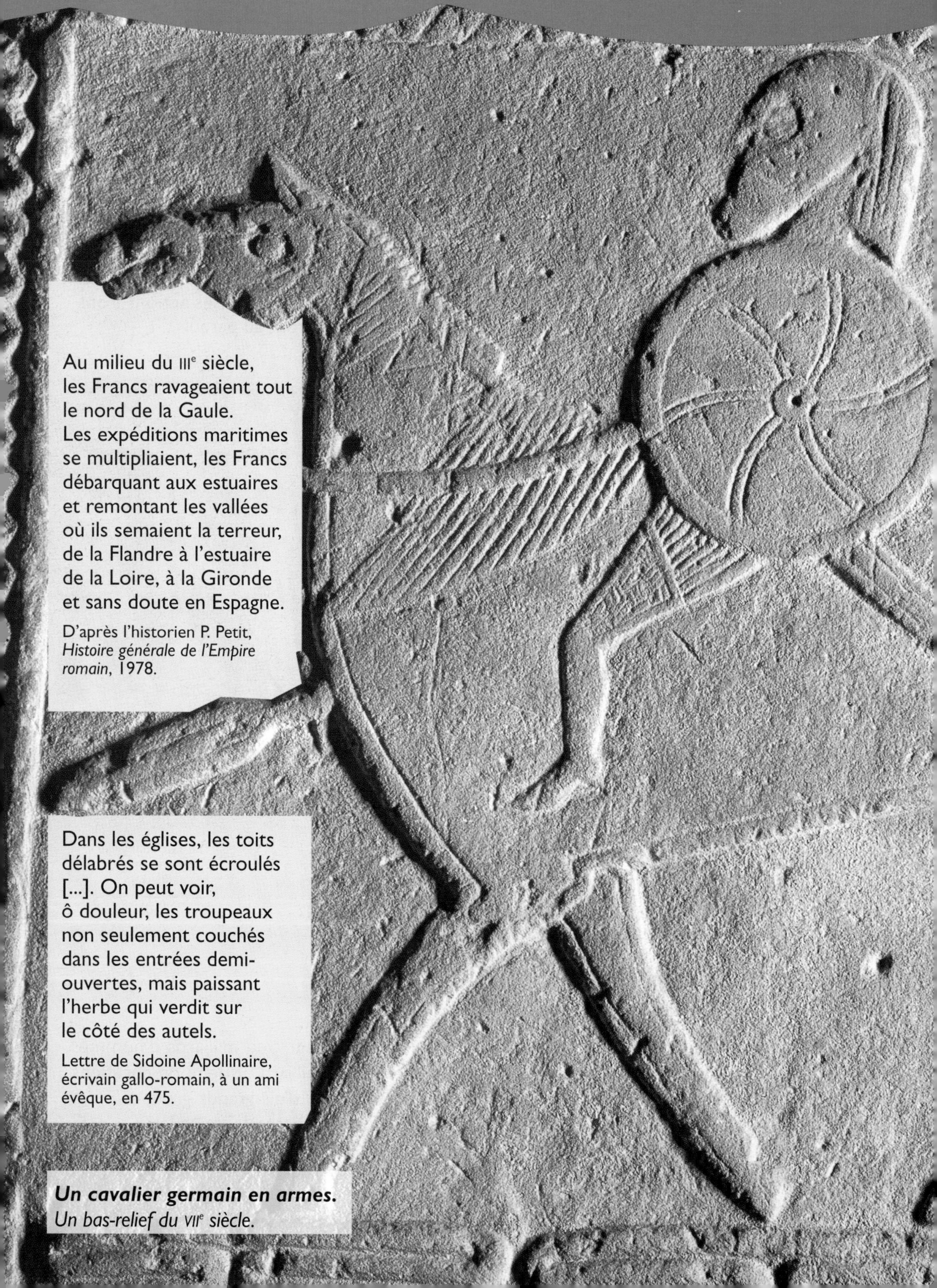

Au milieu du IIIe siècle, les Francs ravageaient tout le nord de la Gaule. Les expéditions maritimes se multipliaient, les Francs débarquant aux estuaires et remontant les vallées où ils semaient la terreur, de la Flandre à l'estuaire de la Loire, à la Gironde et sans doute en Espagne.

D'après l'historien P. Petit, *Histoire générale de l'Empire romain*, 1978.

Dans les églises, les toits délabrés se sont écroulés [...]. On peut voir, ô douleur, les troupeaux non seulement couchés dans les entrées demi-ouvertes, mais paissant l'herbe qui verdit sur le côté des autels.

Lettre de Sidoine Apollinaire, écrivain gallo-romain, à un ami évêque, en 475.

Un cavalier germain en armes.
Un bas-relief du VIIe siècle.

en Gaule

Depuis le milieu du IIIe siècle, les attaques de peuples étrangers, les Barbares, étaient de plus en plus nombreuses dans l'Empire romain. Au début du Ve siècle, les Germains traversèrent le Rhin et envahirent la Gaule et l'Italie. La résistance devint impossible : en 476, le dernier empereur romain perdit le pouvoir. Un de ces peuples germains, les Francs, réussit à s'installer définitivement en Gaule. Il a donné son nom à notre pays, la France.

Observe le bas-relief.

1. Compare ce document à celui de la page 12. Décris la technique du bas-relief.

2. Décris l'équipement militaire du cavalier.

Lis les textes.

3. À quelle époque chacun de ces textes a-t-il été écrit ? Quel auteur est un témoin de l'époque de l'installation des Francs en Gaule ?

4. Repère le lieu d'origine des Francs et leur trajet sur une carte. Nomme les régions qu'ils ravagèrent et situe-les sur une carte de France.

5. Que déplore surtout l'auteur témoin des événements ? Recherche dans la leçon précédente à quelle époque on a commencé à construire des églises en Gaule.

Les Francs en Gaule

**À la fin du Ve siècle, l'Empire romain disparut à la suite des invasions venues du Nord et de l'Est.
En Gaule, Clovis, un roi franc d'origine germanique se convertit au christianisme ; il devint maître de toute la Gaule et fonda le premier royaume de France au début du VIe siècle.**

La fin de la paix romaine

À partir du IIIe siècle, ce fut la fin de la paix en Gaule qui durait depuis la conquête romaine en 52 avant Jésus-Christ.
Devant les envahisseurs, les habitants fuyaient, les villes se protégeaient en construisant des remparts, les campagnes étaient ravagées par les expéditions militaires.
Un peuple germanique venu de l'est du Rhin, les Francs, s'était installé dans le nord de la Gaule. Tous les Barbares installés en Gaule n'étaient pas des envahisseurs armés : beaucoup étaient venus pacifiquement comme agriculteurs, artisans ou même servaient dans l'armée romaine.

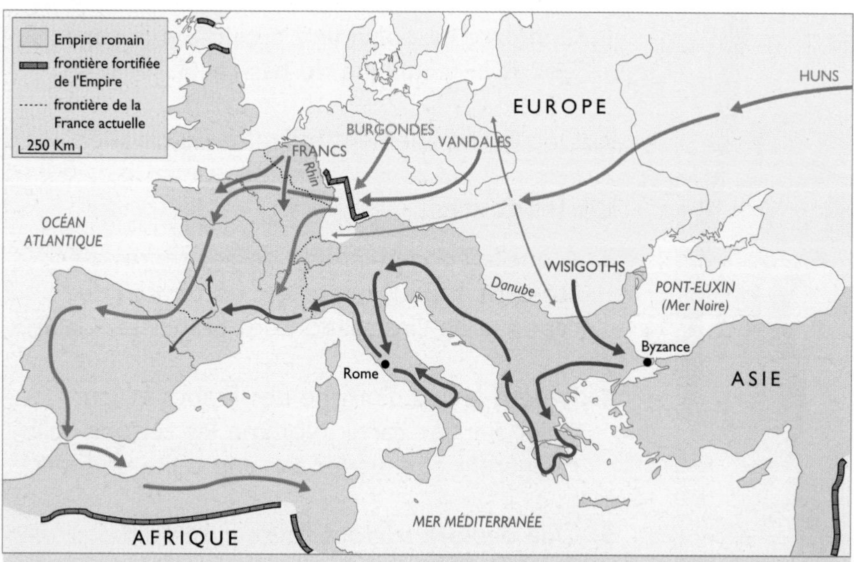

L'Empire romain et les migrations des peuples barbares au Ve siècle.

Clovis, roi franc, devient maître de la Gaule romaine

En 481, Clovis, fils du roi franc Childéric, devint roi à l'âge de quinze ans. Il conquit le reste de la Gaule, dominé par d'autres peuples barbares : les Alamans à l'est et les Wisigoths au sud.
Les Gallo-romains étaient tous chrétiens.
Afin de gagner leur confiance, Clovis décida de devenir lui-même chrétien : il se fit baptiser à Reims en 496. Victorieux des Wisigoths, il régna sur presque toute l'ancienne Gaule romaine et fit de Paris sa capitale.
En 511, à sa mort, son royaume fut divisé selon la coutume franque entre ses quatre fils.
Ses descendants, appelés rois « mérovingiens », du nom de Mérovée son grand-père, régnèrent jusqu'en 751, mais perdirent peu à peu leur autorit

La civilisation mérovingienne, un mélange des civilisations gallo-romaine et germanique

La civilisation de la Gaule romaine ne disparut pas brutalement car la population franque était en fait très peu nombreuse. Les Francs, qui n'écrivaient pas leur langue, adoptèrent la langue et l'écriture latines. On continua donc à parler latin en Gaule. Mais il y eut moins d'œuvres écrites qu'à l'époque romaine.
Du mélange de la langue franque et du latin est né le français. Les Francs construisirent peu de monuments, sauf des églises et des monastères. On vivait toujours dans les villes romaines, même en ruine, et on utilisait toujours les aqueducs, les ponts et les routes romaines. Par contre, les forgerons francs étaient très réputés pour la qualité des armes qu'ils fabriquaient. Les bijoux et les objets francs destinés aux églises étaient parmi les plus beaux du monde barbare. Agriculteurs et éleveurs, les Francs furent aussi à l'origine de nombreux villages de la France actuelle.

Notions

- **Les Barbares**
Pour les Romains, les Barbares étaient tous les peuples étrangers qui ne parlaient ni latin ni grec. Tous les peuples germaniques (Goths, Alamans, Vandales, Francs) étaient des Barbares.

- **Un empire**
C'est un très vaste État dirigé par un empereur.
Après la conquête de tout le bassin méditerranéen, Rome devint un empire, jusqu'en 476.

- **Une coutume**
C'est une loi qui n'est pas écrite, mais qui est respectée parce que c'est une habitude ancienne. Chez les Francs, la coutume voulait que le roi – et lui seul – porte les cheveux longs.

Casque franc du VIe siècle.
Il est en fer, doublé de cuivre, doré en surface.

L'ART DES FRANCS

Les Francs ont laissé moins de vestiges que les Gallo-romains. Ce sont les trouvailles archéologiques qui nous informent le mieux sur la vie quotidienne à l'époque mérovingienne.
Les plus intéressantes découvertes ont été faites dans les cimetières.
Selon la coutume franque, le défunt, surtout lorsqu'il était important, était enterré avec son plus beau costume, ses bijoux, et ses armes si c'était un homme.

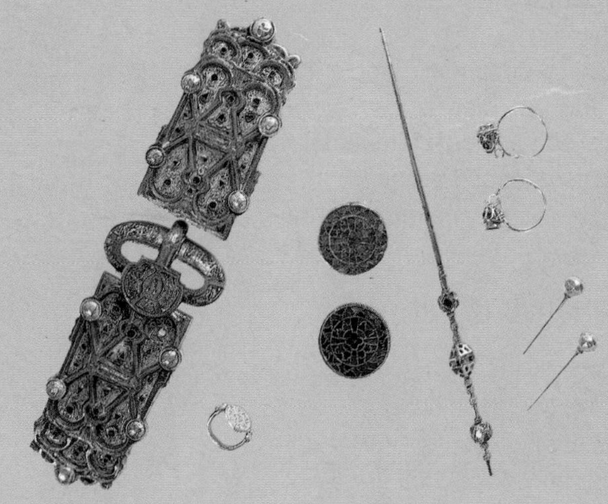

La parure de la reine Arégonde (vers 570-590).
La reine Arégonde était la femme de Clotaire, un des quatre fils de Clovis.
En 1959, des archéologues ont découvert sa tombe sous la basilique Saint-Denis, au nord de Paris.

La sépulture d'Arégonde était particulièrement riche et bien conservée. On a pu reconstituer son luxueux manteau de laine brodé.
La reine portait de nombreux bijoux : boucles d'oreilles, fibules (sortes d'épingles), anneau en or où son nom était inscrit.
Les boucles de ceinture sont en argent, recouvertes d'un très mince fil - ou filigrane - d'or. Autour de morceaux de verre colorés, le fil d'or forme des entrelacs géométriques. Ces motifs sont très répandus dans l'art franc. Les artisans francs maîtrisaient parfaitement la technique du filigrane qui permettait d'économiser l'or, de plus en plus rare à cette époque.

Le baptême de Clovis

Un événement historique

Que s'est-il passé ?

• Pour poursuivre la conquête de la Gaule, Clovis avait besoin de l'alliance des évêques, chefs des chrétiens, et des populations chrétiennes. Sa femme, la princesse Clotilde, déjà chrétienne, l'aurait persuadé de se convertir.

• Un 25 décembre, entre 495 et 508 (les historiens ne sont pas sûrs de l'année), Clovis se fit baptiser dans l'église de Reims par l'évêque Saint-Rémi.

Comment le sait-on ?

Nous avons deux témoignages écrits :
• le récit du chroniqueur Grégoire de Tours qui a raconté l'événement, mais un siècle après !
• la lettre de félicitations adressée à Clovis par l'évêque de Vienne après son baptême.

Pourquoi le baptême de Clovis est-il un événement important ?

• À partir du moment où il fut chrétien, Clovis put devenir le maître de la Gaule chrétienne sans difficulté ; tous les autres rois barbares étaient encore païens.
• En souvenir du baptême de Clovis, l'Église conçut une autre cérémonie : le sacre des rois de France. Le jour de leur couronnement, dans la cathédrale de Reims, l'évêque déposait un peu d'huile sainte sur leur front, pour montrer que leur pouvoir venait de Dieu. Cela dura de 751 jusqu'au sacre de Charles X en 1825.

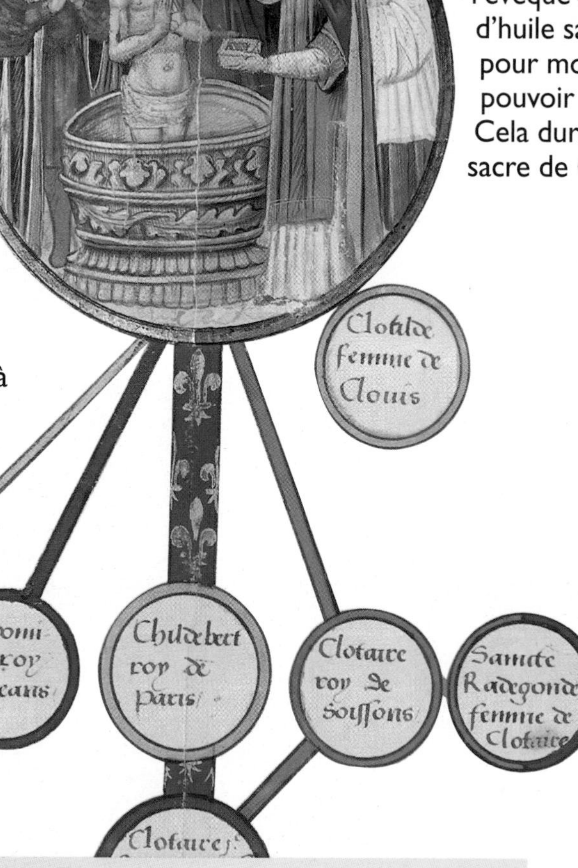

Le baptême de Clovis.
Un manuscrit de la bibliothèque Sainte-Geneviève (1521).

LE VASE DE SOISSONS

Une légende

La légende nous est rapportée par Grégoire de Tours dans sa chronique de l'*Histoire des Francs* (573-594).

En 486, dans les environs de Soissons, Clovis, qui n'était pas encore chrétien, avait pillé une église. Au moment du partage du butin, il réclama pour lui un vase de grande valeur. Mais l'un de ses guerriers s'y opposa et, pris de jalousie, brisa le vase de son épée.
Clovis ne montra rien de sa colère, mais, un an après, alors qu'il passait ses troupes en revue, il s'approcha du briseur de vase et lui dit : « Personne n'a apporté des armes aussi mal tenues que les tiennes ». Et, saisissant la hache de l'homme, il la jeta par terre. Tandis que celui-ci se penchait pour ramasser son arme, le roi lui envoya sa propre hache dans la tête en disant : « C'est ainsi que tu as fait à Soissons avec le vase ». Par cet acte, il inspira une grande crainte à ses hommes.

Grégoire de Tours voulait sans doute montrer que si Clovis avait été déjà chrétien, il n'aurait pas été aussi brutal.

Cette légende témoigne de la violence de l'époque. Il est vrai que l'on sait peu de choses sur les Mérovingiens car il existe très peu de témoignages écrits sur cette période, à part des récits de meurtres et de violences entre les fils de Clovis.

Le vase de Soissons.
Une gravure d'un livre d'histoire du XIXe siècle.
Les armes et les costumes des Francs sont plutôt fantaisistes !

Étudier des outils

Les premiers agriculteurs du néolithique

La vie des hommes préhistoriques est mal connue.
Quelques dessins dans des grottes, des objets retrouvés sur les lieux où ils vivaient sont les seules traces qu'ils ont laissées.
Seule la découverte et l'étude de ces traces peuvent nous renseigner sur leur vie.

①

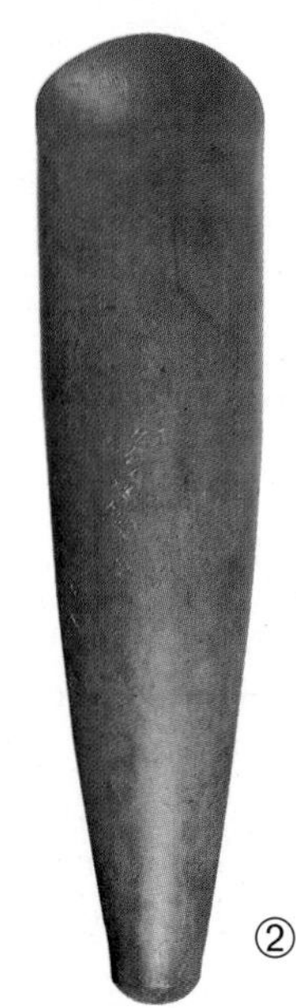
②

Étudier des outils et des objets

Documents ① et ②

Des milliers d'années séparent ces deux outils de pierre réalisés par les hommes préhistoriques. L'un appartient à l'époque de la pierre taillée (paléolithique) l'autre à l'époque de la pierre polie (néolithique). Décris chacun d'eux.

- Situe-les sur la frise chronologique au début de ton livre. Combien de millénaires a duré la période néolithique ?

Document ③

- Combien de pièces constituent cette hache ? Dessine-la. Précise sur le croquis les différents matériaux utilisés pour la fabriquer.

Document ④

- Explique comment a été fabriqué cet outil. À quel travail pouvait-il servir ?

Document ⑤

- Cherche dans un dictionnaire ce qu'est le silex. Pourquoi cette pierre était-elle utilisée pour cet outil ?
- Imagine le geste du moissonneur qui utilisait cet outil et décris-le.

Document ⑥

- À quoi servait cet outil ? Présente la fonction de chacune des deux pièces qui le composent.

Document ⑦

- Quel a dû être le travail des archéologues avant de pouvoir présenter cette jarre dans un musée ?
- Observe le petit récipient : c'est une faisselle. Cherche le sens de ce mot si tu l'ignores.
- Qu'apprends-tu ainsi sur l'alimentation de cette époque ?

Document ⑧

- Cette jarre était faite pour être suspendue. À quoi le voit-on ? Pour quelles raisons, à ton avis, prenait-on cette précaution ?

⑧

et des objets

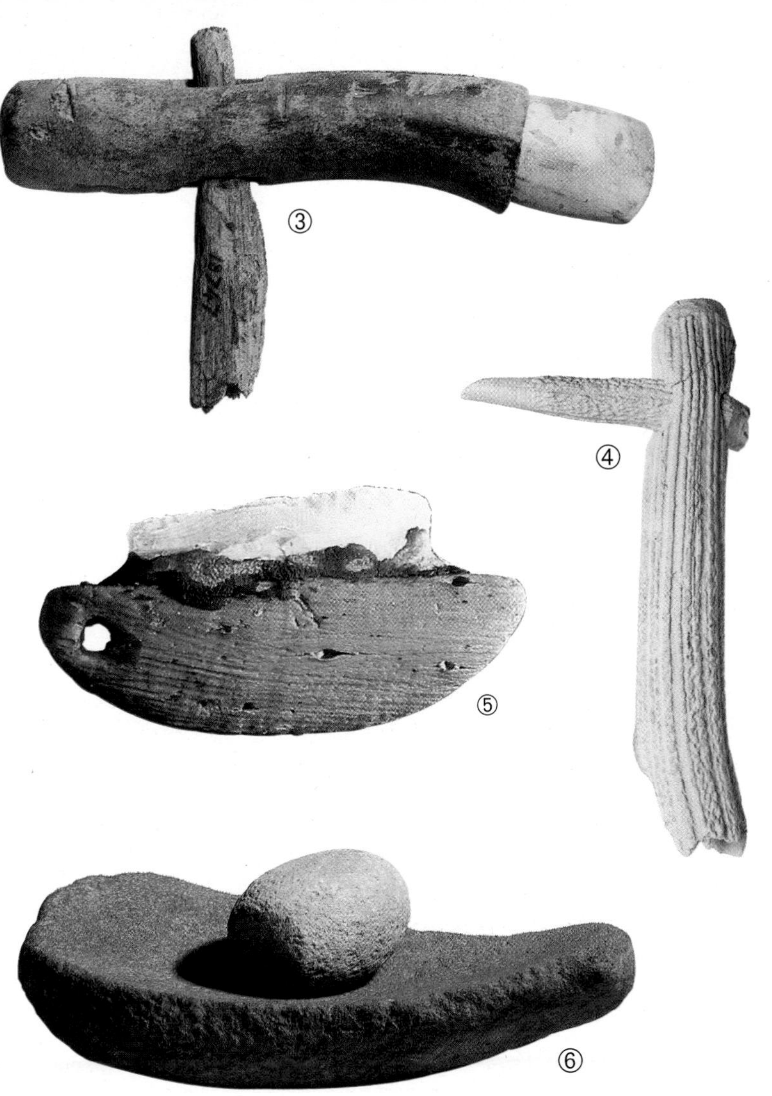

① *Un biface en silex du paléolithique ancien (100 000 ans av. J.-C., dans la Somme).*

② *Une hache polie du néolithique (3 000 ans avant J.-C., en Bretagne).*

③ *Une hache emmanchée en silex et en bois de cerf (vers 2500 av J.-C., dans la Somme).*

④ *Un pic en bois de cerf (environ 4 000 ans avant J.-C.).*

⑤ *Un couteau à moissonner (environ 4 000 ans avant J.-C.).*

⑥ *Une meule (environ 4 000 ans avant J.-C., en Bretagne).*

⑦ *Une jarre et une faisselle (2 700 av. J.-C., dans le Jura).*

⑧ *Une jarre suspendue (vers 3 500 av. J.-C., dans la Somme).*

Reconstituer la vie des premiers agriculteurs par l'étude des traces archéologiques

- Les hommes du néolithique élevaient des brebis, des vaches... Comment peut-on le deviner en observant ces deux pages ?
- On peut reconstituer, d'après ces objets, toute une chaîne de travaux allant du défrichage du sol à la consommation de la nourriture. Nomme les outils utilisés à chaque étape.
- La plupart des outils des agriculteurs devaient être en bois. Presque tous ont disparu. Pourquoi ? Peux-tu imaginer certains de ces outils ? Dessine-les et explique leur utilisation.

Étudier un objet, c'est :
- le dater ;
- le situer ;
- identifier les matériaux utilisés pour le fabriquer ;
- savoir à quoi il servait ;
- imaginer comment on l'utilisait ;
- reconstituer un aspect de la vie quotidienne de l'époque.

Nos ancêtres, les Celtes

De la fin de la préhistoire à l'invasion des Romains, l'Europe de l'Ouest est dominée par les Celtes. Ceux qui s'installèrent en Gaule étaient appelés Gaulois. Les historiens de l'Antiquité, Grecs et Romains, ont laissé de précieux témoignages écrits sur les Gaulois. Les archéologues, par leurs découvertes, nous permettent de mieux connaître « nos ancêtres les Gaulois ».

Ces morts qui nous apprennent tant de choses

Tombe féminine
VIe siècle avant J.-C.

- Quels sont les objets qui ont accompagné la morte dans sa tombe ?
- Pourquoi ont-ils pu se conserver en bon état ?
- Recherche dans les pages qui suivent d'autres objets qui ont été trouvés dans des sépultures.

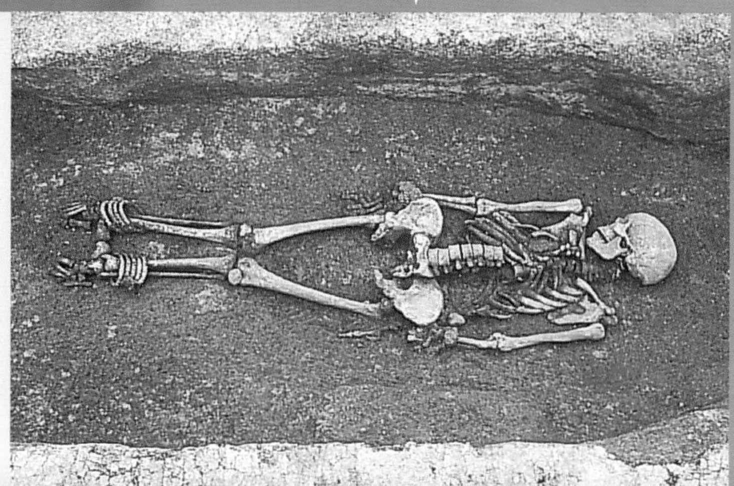

Les Celtes, des envahisseurs qui s'installent

les Celtes 600 ans avant J.-C.
les Celtes au moment de la conquête par Rome (52 av. J.-C.)
expansion celte
raids celtes
500 Km
BRETAGNE
GAULE
Daces
Celtibères
Ibères
Étrusques
Rome -390
ITALIE
Galates
GRÈCE
Delphes -279

L'expansion des celtes

- Quelle est la partie de l'Europe la plus anciennement peuplée par les Celtes ?
- Dans quelles régions se sont-ils installés au cours des siècles avant la conquête romaine ?
- Quelles parties de l'Europe n'occupaient-ils pas ?

L'oppidum, « capitale » des peuples celtes

Les remparts de Bibracte

- Qu'est-ce qu'un oppidum ?
- D'après cette photo, que peux-tu dire du site de l'oppidum de Bibracte ?
- À quoi reconnaît-on l'emplacement des remparts ? Si des archéologues souhaitaient fouiller ce site, sur quelle partie devraient-ils entreprendre leurs travaux ?

Un quartier de Bibracte

Une aquarelle de J.-C. Golvin d'après des fouilles effectuées par les archéologues.

- Comment le dessinateur a-t-il pu imaginer ce dessin ?
- Comment était organisée la construction dans ce village ?

Les maîtres du fer

Des outils pour les agriculteurs

Ier siècle av. J.-C.

- Les parties en bois des outils ont disparu. Réalise un calque des différents outils. Numérote chacun d'eux. Rédige ensuite une légende donnant le nom ou l'utilisation des différents outils.
- Essaie de retrouver, dans une encyclopédie illustrée, les outils de l'agriculteur au début du XXe siècle et compare-les à ceux-ci.
- Quelles remarques peux-tu faire ?

Des armes pour les guerriers :

IIIe siècle avant J.-C., provenant d'une tombe (dans la Marne).

- Réalise un dessin simple de la lance et du bouclier que devait posséder ce guerrier gaulois.
- Distingue les parties retrouvées et les parties disparues. Précise la matière utilisée par l'artisan.

Nos ancêtres, les Celtes

Des commerçants entreprenants

Le chariot, un moyen de transport nouveau

Bas-relief de pierre du Ier siècle ap. J.-C.

- Quelle est la force utilisée pour tracter ce chariot ? Décris minutieusement chacun de ces éléments.
- Que transportait-il ? Décris le récipient. Que pouvait-on transporter dans ce genre de récipient ?

L'élevage et le commerce

Presque tous les Gaulois couchent sur la dure et prennent leur repas assis sur la paille. Ils se nourrissent de lait, de viandes diverses, mais surtout de porc, frais ou salé. Les porcs, élevés dehors, acquièrent une taille, une vigueur et une vitesse si grandes qu'il y a danger à s'en approcher quand on n'est pas connu. La grande quantité de bétail, surtout de moutons et de porcs, qu'ils possèdent explique comment ils peuvent approvisionner si abondamment [...] de salaisons non seulement Rome, mais la plupart des autres marchés de l'Italie.

Strabon, un géographe grec (58 av. J.-C./21 ap. J.-C.)

- Par qui a été écrit ce texte ? À quelle époque ?
- Avec quel pays les Gaulois faisaient-ils du commerce ? Quels étaient les produits qu'ils vendaient ?

Des artisans habiles

Cruche décorée

Bronze, émail, corail, IVe siècle avant J.-C., trouvée en Moselle.

- Décris les différents éléments de décoration de cette cruche.
- Comment expliquer la présence et l'utilisation du corail dans cet objet trouvé dans l'est de la France ?

Bijoux et parures diverses

IVe siècle avant J.-C., provenant d'une tombe princière, en Moselle.

- Quels sont les différents bijoux que tu identifies sur cette photo ?
- Cherche sur un dictionnaire ce qu'est l'ambre.

Les dieux et les druides

Épona, protectrice des cavaliers et des voyageurs
Bronze, IIIe siècle après J.-C.

- Décris les vêtements de la déesse.
- Son nom vient du gaulois *epos* qui veut dire *cheval.* À quoi peux-tu deviner qu'Épona était la déesse des cavaliers et des voyageurs ?

Les jeunes guerriers à « l'école des druides »

Des druides, il apprend qu'il a une âme, que cette âme est immortelle, et que la mort est le simple passage d'un corps humain à un autre corps humain. Il sait bientôt par eux que le monde est une chose immense, et que l'humanité s'étend au loin, bien en dehors des terres paternelles et des sentiers de chasse ou de guerre. Enfin, ses maîtres lui font connaître ce qu'est la nation celtique [...] Ainsi le jeune homme s'imaginait peu à peu la grandeur du monde, l'éternité de l'âme, l'unité du nom gaulois [...].

C. Jullian, *Vercingétorix*, 1908.

- Établis la liste des différentes disciplines qui constituaient l'éducation d'un jeune noble gaulois.

Cernunnos, dieu de la nature et du renouveau
Décoration d'un chaudron en argent découvert au Danemark, Ier siècle avant J.-C.

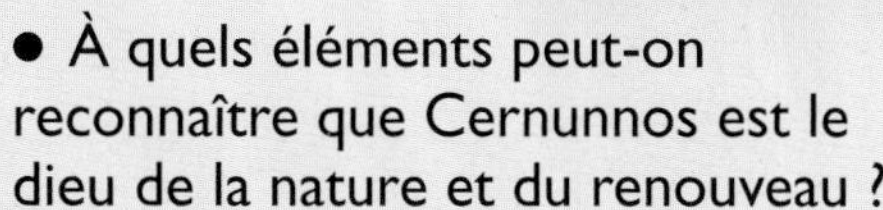

- À quels éléments peut-on reconnaître que Cernunnos est le dieu de la nature et du renouveau ?
- Quel bijou reconnais-tu ?

Des ex-voto
IIIe - Ier siècle avant J.-C., trouvés aux sources de la Seine.

- Qu'est-ce qu'un ex-voto ? Que représentent ceux-là ?
- Ces objets en bois sont très rares. Pourquoi ?
- En quoi ces pièces témoignent-elles de la vie religieuse des Celtes ?

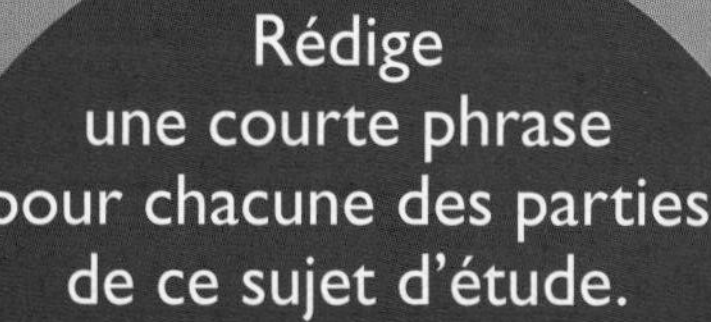

Rédige une courte phrase pour chacune des parties de ce sujet d'étude.

Tu obtiendras ainsi un résumé des notions essentielles à retenir sur la civilisation des Celtes.

1
2
3
4
5

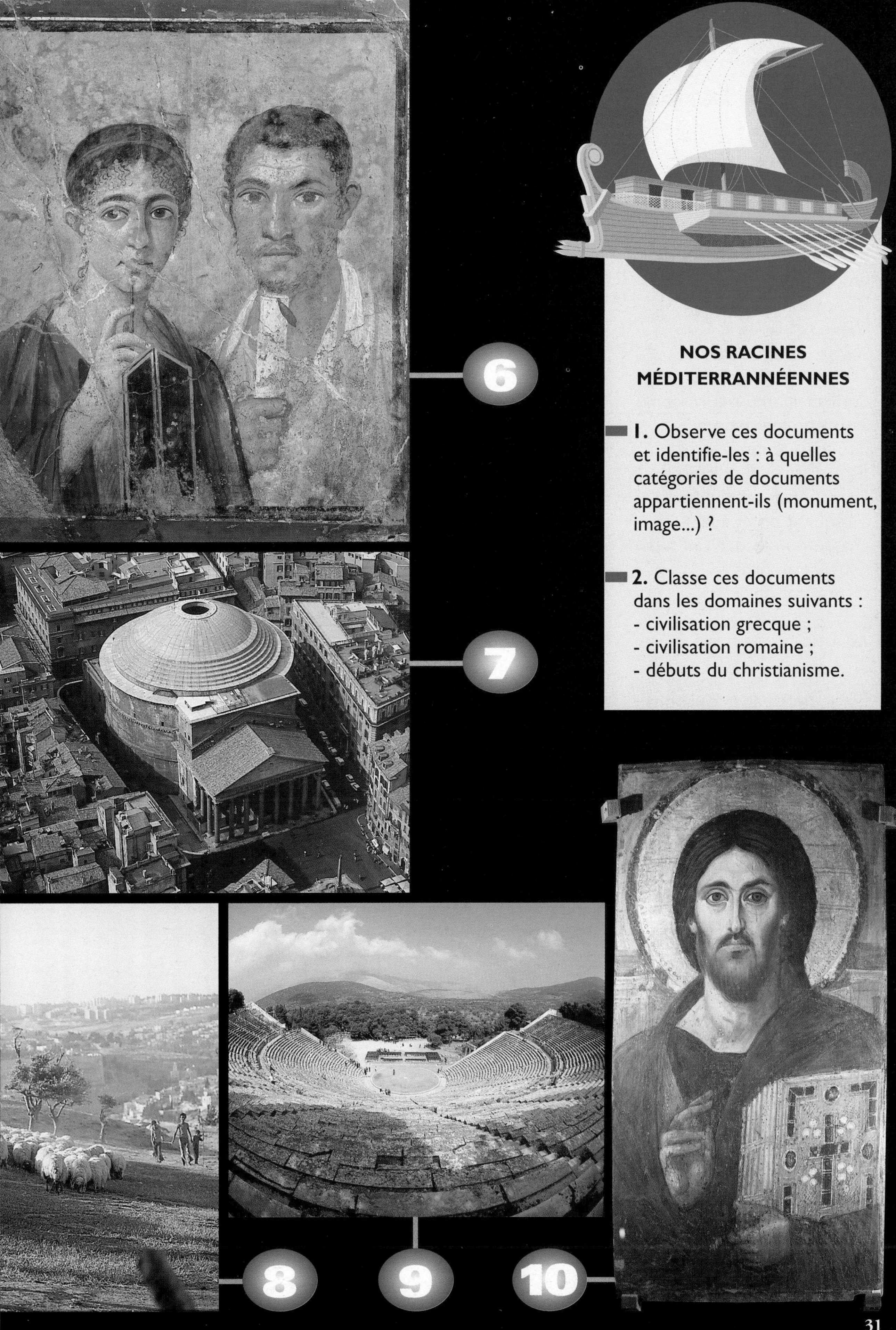

NOS RACINES MÉDITERRANNÉENNES

1. Observe ces documents et identifie-les : à quelles catégories de documents appartiennent-ils (monument, image...) ?

2. Classe ces documents dans les domaines suivants :
- civilisation grecque ;
- civilisation romaine ;
- débuts du christianisme.

L'Empire

D'une large et robuste carrure, il était d'une taille élevée [...]. Il avait le sommet de la tête arrondi, de grands yeux vifs, le nez un peu plus long que la moyenne, de beaux cheveux blancs, la physionomie gaie et ouverte. Aussi donnait-il, extérieurement, assis comme debout, une forte impression d'autorité et de dignité [...]. Il s'adonnait assidûment à l'équitation et à la chasse [...]. Il se livrait aussi souvent au plaisir de la natation.

Éginard, *Vie de Charlemagne*, vers 830.

Lorsque le pape couronna Charlemagne, le 25 décembre de l'an 800, la foule massée dans l'église Saint-Pierre de Rome s'écria : « À Charles, couronné par Dieu, grand et pacifique empereur des Romains, vie et victoire ! »

Liber pontificalis, Vie des papes.

Charlemagne et son fils Pépin.
Miniature d'un codex du Xe siècle.

de Charlemagne

La nuit de Noël, en l'an 800,
dans la basilique Saint-Pierre
à Rome, le pape posa
une couronne impériale
sur la tête du roi des Francs.
L'Europe avait un nouvel empereur,
Charlemagne.
Il avait soumis de nombreux
peuples d'Europe ;
il devint un héros de légende
pour tous les hommes
du Moyen Âge.

Observe la miniature.

1. Où est l'empereur Charlemagne ? Où est son fils Pépin ? Quels éléments te permettent de les distinguer ?

Lis le texte d'Éginard.

2. Éginard a personnellement connu l'empereur. Comment montre-t-il que Charlemagne était un homme comme les autres. Quels mots emploie-t-il pour montrer que c'était un empereur ?

3. À ton avis, l'empereur décrit par Éginard ressemble-t-il au personnage de la miniature ?

Lis le second texte.

4. Que veut dire l'expression « À Charles [...] vie et victoire ! » ? Charlemagne est-il vraiment « couronné par Dieu » ? Est-il vraiment « l'empereur des Romains » ? Que veut-on signifier par ces expressions ?

L'empire de Charlemagne

Les rois mérovingiens, descendants de Clovis, étaient sans autorité. Une nouvelle famille leur succéda sur le trône : les Carolingiens. L'un d'eux, Charlemagne, conquit de vastes territoires et fut couronné empereur par le pape, à Rome, en l'an 800. En 843, ses petits-fils se partagèrent l'empire ; leurs descendants furent incapables de le défendre contre de nouveaux envahisseurs.

Les Carolingiens, une nouvelle dynastie au pouvoir

Les descendants de Clovis furent incapables de défendre leur royaume contre les Sarrasins, un peuple arabe originaire du Moyen-Orient et adepte d'une nouvelle religion, l'Islam.
À la fin du VIIIe siècle, les Sarrasins avaient envahi toute l'Afrique du Nord, ainsi que l'Espagne.
Les rois mérovingiens étaient sans autorité. Seuls gouvernaient les « maires du palais », des fonctionnaires qui surveillaient les domaines royaux. Vers 732, l'un d'eux, Charles Martel, arrêta près de Poitiers les armées des Sarrasins venues d'Espagne. En 751, son fils Pépin le Bref chassa le dernier roi mérovingien et se fit sacrer roi par le pape.
À la mort de Pépin en 768, son fils Charles devint roi. Il entreprit de vastes conquêtes pour protéger et étendre son royaume. Il repoussa les musulmans au sud des Pyrénées. Il s'empara du royaume des Lombards (en Italie) et de celui des Saxons (en Allemagne) qu'il convertit de force au christianisme. Charles devint Charlemagne, ce qui signifie « Charles le Grand » en latin.

Charlemagne, un empereur respecté

Le pape avait besoin des armées de Charlemagne pour protéger le monde chrétien ; c'est pour cette raison qu'il le couronna empereur en l'an 800. Charlemagne rêvait de reconstruire l'Empire romain. Il gouverna avec autorité. Il exigea un serment de fidélité de tous ses sujets et chargea les comtes, ses représentants, de faire appliquer les lois. En échange de leur obéissance, il distribua des terres aux grands seigneurs qui devinrent ses « vassaux ». Il encouragea le développement des arts et s'entoura de savants et d'hommes de lettres dans sa capitale d'Aix-la-Chapelle (aujourd'hui en Allemagne). Les terres de l'empereur, des monastères et des seigneurs étaient de mieux en mieux cultivées.
À la mort de Charlemagne, en 814, l'Europe semblait avoir retrouvé la paix.

Un empire divisé à la mort de Charlemagne

En 843, les petits-fils de Charlemagne se partagèrent l'empire selon la coutume franque. Charles le Chauve devint roi de la Francie occidentale, un territoire situé à l'ouest qui allait devenir la France. Ces rois carolingiens furent incapables de défendre leurs sujets contre de nouveaux envahisseurs : les Normands venus d'Europe du Nord et les Hongrois venus d'Asie centrale.
En 987, les plus riches comtes du royaume élirent un des leurs, Hugues Capet, qui fut couronné puis sacré roi par l'archevêque de Reims. Ainsi commença la dynastie des Capétiens qui régna sans interruption en France jusqu'à la Révolution française.

Un bateau normand. ▶
La tapisserie de la reine Mathilde date de la fin du XIe siècle. C'est une broderie exécutée sur une bande de toile de plus de 70 mètres de long.

Notions

- **L'Islam**
  C'est la religion prêchée en Arabie par le prophète Mahomet, de 610 à 632. Les fidèles de cette religion sont les musulmans. Ils croient en un dieu unique et dans les paroles du prophète rassemblées dans un livre saint, le Coran.

- **Une dynastie**
  C'est une famille royale. Les Mérovingiens, les Carolingiens et enfin les Capétiens sont les trois dynasties royales ayant régné en France.

- **Un vassal**
  C'est un seigneur qui a prêté un serment de fidélité au roi.

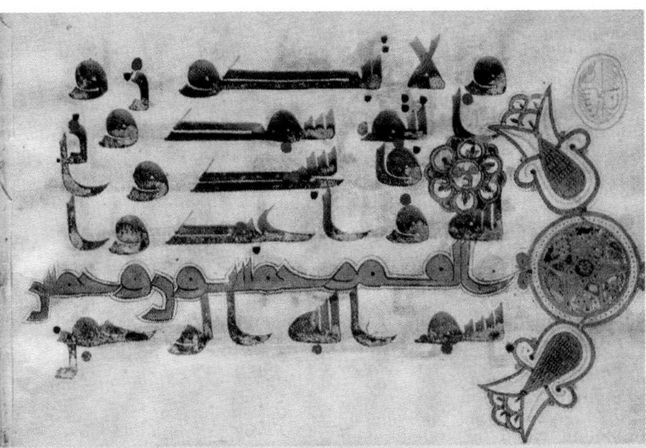

Une page du Coran.
Une peinture sur papier du IXᵉ siècle.
Le Coran est le livre saint de l'Islam, la religion des musulmans.

L'ÉCRITURE CAROLINGIENNE

Jusqu'à l'invention de l'imprimerie, vers 1450, les livres étaient des manuscrits copiés et décorés à la main par des copistes.

Première page d'une bible française.
Une peinture sur parchemin du IXe siècle.
Le texte est en latin. Le titre est en capitales « romaines », le texte est en lettres minuscules « carolines ». Ce style de lettres fut inventé par les copistes carolingiens. Nos lettres d'imprimeries actuelles les ont imitées.

Au temps de Charlemagne, les gens qui savaient écrire étaient beaucoup moins nombreux qu'à l'époque gallo-romaine. Seuls savaient lire et écrire les gens d'Église. Les moines recopiaient les manuscrits dans les monastères. Mais, mal instruits, ils faisaient des fautes et leur écriture devenait parfois illisible.
Charlemagne admirait beaucoup la culture latine. Il voulait améliorer l'instruction de ses sujets pour en faire de meilleurs chrétiens. Il donna l'ordre à tous ses évêques de réorganiser les études des futurs gens d'Église. À la fin de son règne, ils étaient plus cultivés et savaient mieux le latin.
De nombreux livres religieux, richement décorés, furent réalisés dans les monastères.

La Chanson de Roland

Le plus ancien poème en langue française

Les faits historiques

En 778, une armée de Charlemagne est attaquée et détruite par les Basques, au col de Roncevaux, dans les Pyrénées. Roland, le chef de l'armée, y trouva la mort.

La légende

Composée trois cents ans après les faits, la Chanson de Roland transforme Charlemagne et Roland en véritables héros de légende, en lutte perpétuelle contre les Sarrasins. La légende raconte la mort héroïque de Roland attiré dans une embuscade, non par les Basques, mais par les Sarrasins. Mortellement blessé, il meurt d'épuisement après avoir vainement tenté d'appeler Charlemagne en soufflant dans son olifant.

La légende au Moyen Âge

Ces poèmes étaient récités et chantés par les jongleurs lors de fêtes, dans les châteaux et sur les places des villes ou des villages. Au XIe siècle, quand ce poème a été écrit, l'Europe était toujours en guerre contre les Sarrasins musulmans. Il fallait donc rappeler aux chrétiens, avec de belles histoires, que des chevaliers héroïques comme Roland s'étaient battus pour eux.

Un extrait du poème

Texte d'origine

Halt sunt li pui et mult halt les arbres.
Quatre perruns i ad luisant, de marbre.
Sur l'erbe verte li quens Rollant se pasmet.

Traduction

Hauts sont les monts et très hauts les arbres.
Il y a quatre blocs de marbre, luisants.
Sur l'herbe verte, le comte Roland s'évanouit.

Gravure d'un livre d'histoire de 1872.
La Chanson de Roland est le premier poème écrit en ancien français au XIe siècle par plusieurs auteurs qui nous sont inconnus. Cette gravure tirée d'un vieux livre d'histoire représente la mort de Roland à Roncevaux.

HUGUES CAPET

843 — L'Empire de Charlemagne est partagé par ses trois petits-fils.

À partir de cette date, les rois carolingiens de « Francie » perdirent peu à peu leur pouvoir :

- ils s'étaient appauvris car ils avaient distribué beaucoup de terres à leurs vassaux ;
- ils défendaient mal leurs sujets contre les invasions qui ravageaient la France.

En 845, le roi Charles le Chauve avait accepté de payer une forte somme d'argent aux Normands pour les éloigner de Paris.

En 885, c'est un simple seigneur, Eudes, comte de Paris, qui défendit la capitale contre les Normands.

987 — Les grands seigneurs du royaume choisirent le duc Hugues Capet comme roi de France, à la place d'un roi carolingien.

Hugues Capet était un seigneur guerrier qui avait des propriétés en Ile-de-France. Il ne régna que neuf ans, mais il prit la précaution de faire sacrer roi son fils dès 987, alors qu'il était encore en vie.

Ainsi, à sa mort en 996, son fils Robert le Pieux devint roi de France sans avoir besoin d'être élu par les grands seigneurs.

Ce fut le début de la dynastie capétienne qui régna huit cents ans sur la France.

L'Empire de Charlemagne et le partage de Verdun (843).

> **Les premiers rois capétiens** avaient pris l'habitude de faire sacrer et couronner leur fils aîné de leur vivant. C'est ainsi que la couronne royale resta dans leur famille. Philippe Auguste (1180-1223) fut le premier roi à abandonner cette tradition, son pouvoir étant suffisamment fort. La royauté était devenue héréditaire.

Au temps fixé, les grands de la Gaule qui s'étaient liés par serment se réunirent à Senlis [...] L'archevêque de Reims leur parla ainsi : « Donnez-vous donc pour chef le duc Hugues, recommandable par ses actions, sa noblesse et par ses troupes, le duc en qui vous trouverez un défenseur non seulement de la chose publique mais de vos intérêts privés. » Cette opinion proclamée et accueillie, le duc fut, d'un consentement unanime, porté au trône et couronné à Noyon le 1er juin par l'archevêque et les autres évêques.

d'après le récit du moine Richer, écrit vers 995.

Un roi associe son fils au trône.
Un manuscrit français du XIe siècle.
Deux souverains sont assis côte à côte : le père, à droite, partage le pouvoir royal avec son fils, à gauche.

La formation du

Guillaume, comte de Flandres, demanda au futur vassal s'il voulait devenir son homme sans réserve et celui-ci répondit « je le veux », puis, ses mains étant jointes dans celles du comte qui les étreignit, ils s'allièrent par un baiser. En second lieu, celui qui avait fait hommage engagea sa foi en ces termes : « Je promets en ma foi d'être fidèle au comte Guillaume [...] sans tromperie ». Il jura cela sur les reliques des saints.

Récit du moine Galbert de Bruges, vers 1127.

En 1329, le roi de France, Philippe VI, reçoit le serment d'hommage du duc de Guyenne et de Normandie, Édouard III, qui est aussi roi d'Angleterre.
Une miniature de 1380.

royaume de France

En 987, Hugues Capet était élu « roi des Gaulois, des Bretons, des Normands, des Aquitains ». Il n'avait, en fait, aucune autorité sur les grands seigneurs de son royaume. Cinq siècles plus tard, à la fin du Moyen Âge, ses descendants étaient toujours sur le trône de France et gouvernaient avec autorité un royaume qu'ils avaient construit et organisé.

Observe la miniature.

1. Le roi de France porte une robe de cérémonie brodée de fleurs de lis. Des léopards ornent celle d'Édouard III. Décris l'attitude d'Édouard III. Qui, d'après l'image, semble le roi le plus important ? Cherche une explication en te reportant aux cartes 3 au début de ton livre.

Lis le texte.

2. La scène racontée dans ce texte est-elle la même scène que l'on voit sur la miniature ?

3. Quels sont les différents moments de la cérémonie décrite par Galbert de Bruges ?

4. Compare l'image et le texte.

La formation du royaume de France

Au Xe et au XIe siècle, les rois de France avaient peu de pouvoir. Les seigneurs imposaient leur loi par la force et l'Église tentait de limiter leurs pouvoirs.
Aux XIIe et XIIIe siècles, l'autorité des rois de France s'accrut. Ils agrandirent le domaine royal et imposèrent la justice et la monnaie royales.
À la fin du XVe siècle, malgré les guerres et les crises, le royaume de France était devenu une monarchie puissante.

Du Xe au XIe siècle, le temps des seigneurs

À la fin du Xe siècle, le roi n'était maître que dans son propre domaine autour de Paris et d'Orléans. Il était incapable de défendre ses sujets contre le brigandage des seigneurs guerriers.
Dans les campagnes, des petits seigneurs construisaient des forteresses — des tours de bois entourées de palissades — et se donnaient presque tous les pouvoirs. Ils protégeaient les paysans. Mais en échange, ils exigeaient des redevances et du travail. Ils rendaient la justice et avaient parfois leur propre monnaie. Leurs fils héritaient de leurs biens et de leurs droits.

Combat de chevaliers.
Une enluminure de l'*Histoire de Merlin*, par Robert de Borron, vers 1280.

La société féodale, l'Église et les chevaliers

L'Église proposa des règles pour se faire obéir des seigneurs guerriers : les guerres privées et le brigandage étaient interdits à certains moments de l'année — c'était la « trêve de Dieu ». De même, elle encourageait les chevaliers à protéger les faibles et les pauvres, et à mettre leur force au service de la chrétienté.
L'Église expliquait aussi que Dieu avait voulu que la société soit divisée en trois groupes d'hommes, les trois « ordres » : le clergé, c'est-à-dire les prêtres qui priaient pour le salut des hommes ; les nobles, les guerriers qui protégeaient l'ensemble des hommes ; le tiers état, tous les paysans et les gens des villes qui travaillaient pour faire vivre tout le monde.
Les seigneurs les plus puissants exigeaient un serment de fidélité — l'hommage — des petits seigneurs qui devenaient ainsi leurs vassaux. En échange de leur obéissance, ils recevaient un fief, c'est-à-dire une terre ou le commandement d'une forteresse.

Du XIIe au XVe siècle, la puissance des rois de France

Depuis Hugues Capet jusqu'en 1328, les rois de France se succédèrent de père en fils.
La cérémonie du sacre à Reims faisait d'eux les représentants de Dieu sur terre.
Peu à peu, l'ordre revint dans le royaume. Les rois s'enrichirent en accroissant leur domaine par des achats, des guerres, des héritages et des mariages. Les grands seigneurs durent alors rendre l'hommage au roi de France qui était le seigneur suzerain de tous.
Au XIIIe siècle, des fonctionnaires — « baillis » ou « sénéchaux » — contrôlaient les provinces au nom du roi. La justice royale devint plus puissante que celle des seigneurs.
Au XVe siècle, le roi exigea un impôt régulier.
À la fin du Moyen Âge, malgré les crises et les guerres, le roi de France était devenu un monarque puissant.

Notions

• La féodalité

Les liens de féodalité unissaient les hommes entre eux. Le vassal prêtait un serment d'hommage et de fidélité à un seigneur plus puissant et reçevait un fief en échange. Le seigneur s'engageait à son tour à protéger son vassal. Le roi n'était vassal de personne, il était le suzerain, c'est-à-dire le seigneur de tous les seigneurs.

• La monarchie

C'est un régime politique dans lequel le pouvoir appartient à un roi (le monarque). En général, la monarchie est héréditaire.

• Les chevaliers

Ce sont les nobles qui combattaient à cheval.

• L'Église

C'est l'ensemble des personnes qui dirigent les chrétiens : le pape, les évêques, les curés. On les désigne aussi par le mot « clergé ».

Le sacre du roi de France.
Une enluminure du XIIIe siècle (vers 1280). La cérémonie avait lieu dans la cathédrale de Reims, en souvenir du baptême de Clovis. Avant d'être couronné, le roi recevait quelques gouttes d'huile sainte sur le front, des mains de l'archevêque de Reims. C'était l'onction. Le roi devenait alors le représentant de Dieu sur terre.

CHÂTEAU-GAILLARD

Château-Gaillard fut construit de 1196 à 1198 par Richard Cœur de Lion, roi d'Angleterre et duc de Normandie. Cette forteresse défendait la frontière du duché de Normandie, possession anglaise, face au domaine du roi de France.

Château-Gaillard, sur la Seine, près des Andelys dans l'Eure.

Au Xe siècle, les premiers châteaux forts étaient construits sur des hauteurs naturelles ou sur des mottes de terre artificielles. C'étaient des demeures fortifiées en bois, entourées de palissades ou de murs de terre.
À partir du XIe siècle, les châteaux furent construits en pierre. Seuls les grands seigneurs et les rois en possédaient.

Château-Gaillard était pratiquement imprenable. Du côté de la Seine, il surplombe le fleuve d'une centaine de mètres ; du côté du plateau, il est isolé par un fossé dominé par une tour. Deux enceintes successives protégeaient le donjon. Les murs étaient trop épais — 4 mètres de largeur à la base du donjon — pour être détruits par les armes de l'époque.
Pourtant, Château-Gaillard fut pris par le roi de France Philippe-Auguste en 1204, après un siège de huit mois : nourriture et eau potable avaient fini par manquer aux assiégés qui se rendirent.

PHILIPPE AUGUSTE

Le « rassembleur de terres »

Philippe II, surnommé Philippe Auguste, régna de 1180 à 1223.

Il renforça le pouvoir royal. Il prit les villes sous sa protection en reconnaissant leur liberté, aux dépens des seigneurs. En échange, elles devaient lui payer l'impôt et lui fournir une aide militaire.

Il fit de Paris une véritable capitale. Il y fit construire une enceinte fortifiée, des halles et la forteresse du Louvre.

Il étendit le domaine royal en confisquant la Normandie, l'Anjou, la Touraine et le Poitou qui appartenaient à son vassal le roi d'Angleterre. À sa mort, le domaine royal avait quadruplé.

En 1214, à Bouvines, en Flandres, il remporta une victoire décisive sur une formidable armée réunie par le roi d'Angleterre, l'empereur allemand, le comte de Flandres et des seigneurs révoltés. Sur le chemin du retour, les Français lui firent un accueil triomphal, montrant ainsi leur attachement à la monarchie.

L'entrée triomphale de Philippe Auguste à Paris après la victoire de Bouvines sur les armées du roi d'Angleterre et de l'empereur allemand, en 1214.
Ferrand, comte de Flandres, vassal du roi de France, mais allié à l'empereur allemand Otton, était ramené prisonnier.
Une miniature du XVe siècle.

Le roi de France, joyeux d'une victoire si inespérée, rendit grâces à Dieu, qui lui avait accordé de remporter sur ses adversaires un si grand triomphe. Il emmena avec lui, chargés de chaînes et destinés à être enfermés dans de bonnes prisons, les trois comtes* [...] ainsi qu'une foule nombreuse de chevaliers [...]. À l'arrivée du roi, toute la ville de Paris fut illuminée de flambeaux et de lanternes, retentit de chants, d'applaudissements, de fanfares et de louanges, le jour et la nuit qui suivit. Des tapis et des étoffes de soie furent suspendus aux maisons ; enfin ce fut un enthousiasme général.

Roger de Wendower, *Chronique* (vers 1220).

* Les comtes alliés du roi d'Angleterre et de l'empereur d'Allemagne. Parmi eux se trouvait Ferrand de Flandres que l'on voit sur la miniature.

Les rois capétiens

Une généalogie compliquée

Les CAPÉTIENS

HUGUES Capet
987-996

HENRI Ier
1031-1060

PHILIPPE II Auguste
1180-1223

LOUIS IX (Saint Louis)
1226-1270

PHILIPPE III le Hardi
1270-1285

PHILIPPE IV le Bel
1285-1314

LOUIS X
1314-1316

PHILIPPE V
1316-1322

CHARLES IV
1322-1328

(meurent sans héritier mâle)

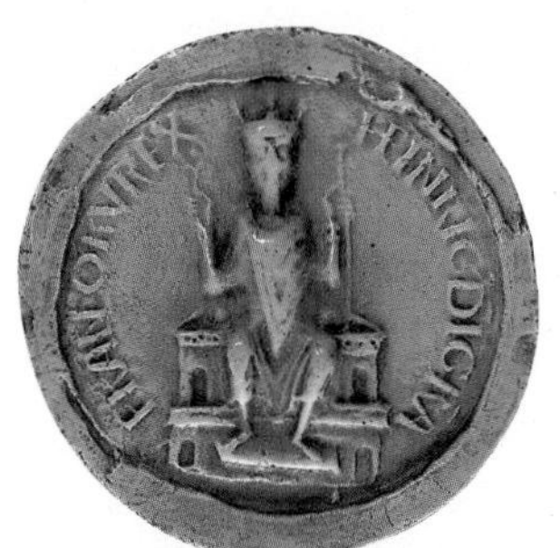

Sceau de Henri Ier
1031-1060

Sceau de Louis IX
1226-1270

Les VALOIS

Charles
Fils cadet de Philippe III
Comte de Valois

PHILIPPE VI
1328-1350

FRANCOIS Ier
1515-1547

HENRI II
1547-1559

FRANÇOIS II
1559-1560

CHARLES IX
1560-1574

HENRI III
1574-1589

(meurent sans héritier mâle)

Les BOURBONS

Robert
Fils cadet de Saint Louis
Seigneur de Bourbon
Ancêtre de Henri IV

HENRI IV
1589-1610

LOUIS XIII
1610-1643

LOUIS XIV
1643-1715

LOUIS XV
1715-1774

LOUIS XVI
1774-1792

Sceau de Louis X
1314-1316

Sur chaque sceau, le roi est représenté avec les emblèmes de la royauté : le trône, la couronne, le manteau du sacre, le sceptre court surmonté d'une main en ivoire, « main forte », symbole de la justice et le sceptre long, bâton de commandement. La fleur de lys, autre symbole royal n'apparut qu'au XIIe siècle.

Les rois de France et

Je vous supplie tous, chevaliers ou piétons, riches ou pauvres, de repousser ce peuple néfaste loin de nos lieux saints [...]. À tous ceux qui partiront et qui mourront en route, la rémission des péchés sera accordée [...]. Qu'ils soient désormais chevaliers du Christ, ceux-là qui n'étaient que des brigands !

Appel à la croisade du pape Urbain II en 1095.

Il y avait un tel carnage que les nôtres (les chrétiens) marchaient dans le sang jusqu'aux chevilles [...]. Ils saisirent un grand nombre d'hommes et de femmes et ils tuèrent ou laissèrent vivants qui bon leur semblait. Puis, pleurant de joie, ils allèrent adorer le tombeau de Jésus-Christ.

Récit par un chevalier français de la prise de Jérusalem en 1099.

Le siège et la prise d'Antioche par les chrétiens en 1098.
Antioche était une ville fortifiée qui défendait la route de Jérusalem.
*Une enluminure de l'*Histoire d'Outremer *de* Guillaume de Tyr*, vers 1280.*

l'Europe chrétienne

Au XIᵉ siècle, l'Église était toute puissante dans l'Europe chrétienne. Le pape demanda aux chevaliers d'utiliser leurs armes pour lutter contre les musulmans, maîtres de Jérusalem. À la fin du XIᵉ siècle, les chrétiens d'Occident se lancèrent dans l'aventure des croisades.

Observe l'enluminure.

1. Antioche, sur la route de Jérusalem, était une ville fortifiée comme les croisés n'en avaient jamais vue : une muraille longue de plus de dix kilomètres, flanquée de quatre cent cinquante tours. Situe Antioche et Jérusalem sur la carte de l'Empire romain au début de ton livre.

2. Où se trouvent les assiégés ? Qui sont-ils ? Par qui sont-ils assiégés ? Pourquoi ?

Lis les textes.

3. Qui sont les croisés ? Qui les appelle à la croisade ? Pourquoi partent-ils en croisade ?

4. Qui sont les vainqueurs en 1099 à Jérusalem ? Comment se comportent les vainqueurs ?

Au Moyen Âge, tous les hommes étaient chrétiens. L'Église était riche et puissante. Les rois de France devaient lui obéir.
Au XIIe et XIIIe siècles, les rois participèrent aux croisades pour défendre le royaume chrétien de Jérusalem fondé par les croisés à la fin du XIe siècle.
En Occident, l'opposition des royaumes de France et d'Angleterre engendra des guerres incessantes du XIe au XVe siècle.

Un royaume chrétien, une Église toute-puissante

Au Moyen Âge, en Occident, presque tous les hommes étaient chrétiens. Certains partaient en pèlerinage à Rome, à Saint-Jacques-de-Compostelle en Espagne, ou sur le tombeau du Christ à Jérusalem. Toute la vie d'un homme se déroulait au rythme des fêtes chrétiennes.
Le clergé guidait la vie des chrétiens. Les abbés et certains évêques étaient aussi riches que bien des seigneurs. Seuls les clercs, gens d'Église, enseignaient dans les universités. Les rois de France protégeaient de nombreuses églises et abbayes. Au XIIIe siècle, Philippe-Auguste puis Saint Louis firent la guerre contre les cathares du sud de la France.
Les derniers hérétiques furent massacrés à Montségur, dans les Pyrénées, en 1244.
Le pape était devenu très puissant. Il affirmait son autorité et sa supériorité sur les rois de l'ensemble de la chrétienté. Mais, dès la fin du XIIIe siècle, le roi de France Philippe le Bel s'opposa à la volonté du pape Boniface VIII. Il obligea les papes à quitter Rome pour s'installer à Avignon, sous l'autorité du roi de France.

Deux pèlerins.
L'un porte sur sa besace la coquille de Saint-Jacques, emblème du pèlerinage de Saint-Jacques-de-Compostelle. L'autre porte une croix, il part à Jérusalem.
Tympan du XIIe siècle de la cathédrale d'Autun.

En Orient : les croisades (XIe-XIIIe s.)

En 1076, les Turcs musulmans avaient conquis Jérusalem. Le pèlerinage des chrétiens devint plus difficile. En 1095, le pape Urbain II appela tous les chrétiens à partir délivrer le tombeau du Christ. En 1099, les chevaliers chrétiens — les croisés — s'emparèrent de Jérusalem et de la Palestine. Ils y fondèrent un royaume chrétien. Les rois de France et d'autres princes européens organisèrent plusieurs croisades pour défendre le royaume chrétien de Jérusalem. Mais à la fin du XIIIe siècle, les musulmans avaient définitivement reconquis ces territoires.
En Orient, les Européens rencontrèrent une civilisation plus raffinée que la leur. Ils en ramenèrent le papier, la poudre, des plantes et des fruits (coton, abricotier, prunier…). Grâce aux savants musulmans, ils redécouvrirent le savoir des Grecs et des Romains oublié depuis l'Antiquité (la médecine, les mathématiques…).

En Occident : la guerre du roi de France et du roi d'Angleterre

Depuis le XIe siècle, le roi d'Angleterre possédait des terres en France. Au XIIe siècle, par son mariage avec Aliénor d'Aquitaine, il devint maître de ce vaste duché. Cette situation fut cause de guerres incessantes. Les rois de France voulaient agrandir leur domaine et les rois d'Angleterre acceptaient mal d'être vassaux des rois de France.
Mais les familles royales française et anglaise étaient unies par plusieurs mariages. Ainsi le roi Édouard III d'Angleterre était le petit-fils du roi de France Philippe le Bel. Quand, en 1328, le roi de France mourut sans héritier mâle, le roi d'Angleterre revendiqua la couronne de France. Ce fut l'origine de la guerre de Cent Ans.

Notions

- **Les croisades**
  Ce sont les expéditions militaires menées par les chrétiens en Palestine contre les musulmans arabes et turcs. Elles avaient pour but de libérer les Lieux saints où avait vécu le Christ. Il y eut huit croisades entre 1096 et 1270. « Croisade » vient du mot « croix ». Les chrétiens qui partaient en croisade, les croisés, portaient le signe de la croix sur leurs vêtements ou sur leur équipement militaire.

- **Un hérétique**
  C'est une personne qui ne croit pas à l'enseignement de l'Église. Les « cathares » du sud de la France, qui croyaient que le monde était l'œuvre du diable et non de Dieu, étaient des hérétiques.

- **Une abbaye**
  C'est un monastère et ses terres, où des moines vivent dans l'étude et la prière. À la tête de l'abbaye, l'abbé était souvent un véritable seigneur.

Joueurs d'échecs, chrétien et arabe.
Une miniature du Livre de jeu d'Alphonse X le Sage, roi de Castille et de Léon, et empereur germanique (XIIIe siècle).

LE KRAK DES CHEVALIERS

Ce château fort est d'origine arabe. Il domine la plaine d'Homs, en Syrie, à 400 km au nord de Jérusalem. Pris par les croisés en 1098, il devint en 1142 la propriété des chevaliers de Saint-Jean de Jérusalem, des moines guerriers qui le reconstruisirent après deux tremblements de terre. Il fut repris par les Arabes en 1271.

Le krak des Chevaliers (XIIe-XIIIe siècles).

Les Francs n'étaient pas assez nombreux pour défendre le royaume chrétien de Jérusalem, isolé en territoire ennemi. Il leur fallut construire des forteresses à la frontière du royaume.
Le krak était protégé par deux enceintes flanquées de tours.
Le cœur du château était une véritable ville.
On y accédait par un long couloir souterrain.
Le krak pouvait abriter 2 000 personnes.
Les réserves de ses caves et ses vastes citernes lui permettaient de supporter des sièges très longs.
En Orient, les Français découvrirent les fortifications de pierre : jusque-là, ils ne connaissaient que les châteaux en bois.
Le krak servit ensuite de modèle pour la construction de Château-Gaillard.

La Guerre de Cent Ans (1337-1453)

Deux rois pour un seul trône

La guerre, la ruine des campagnes.
La guerre n'était pas permanente, mais entre deux expéditions militaires, les chevauchées des chevaliers brigands, anglais ou français, dévastaient villes et campagnes. Famines et épidémies accompagnaient les ravages de la guerre. De 1348 à 1350, l'épidémie de peste « noire » aurait tué cinq millions de Français !
À la fin du XVe siècle, la France était en ruine.
Une miniature du XVe siècle.

Les origines du conflit

- En 1328, le roi de France Charles IV, fils de Philippe le Bel, meurt sans héritier mâle. Les grands seigneurs choisissent Philippe VI, son cousin, pour lui succéder. Édouard III, roi d'Angleterre, petit-fils de Philippe le Bel, pouvait aussi prétendre à la couronne de France.
- En 1337, Édouard III annule l'hommage qu'il devait au roi de France pour le duché d'Aquitaine et il revendique la couronne de France. Ce fut le début d'un conflit de plus de cent ans.
- Pendant les premiers temps de la guerre, les Français sont battus (à Crécy en 1346, à Poitiers en 1356, à Azincourt en 1415).

Au début du XVe siècle, les Anglais sont maîtres de tout le nord de la France. Le nouveau roi de France, Charles VII, ne règne plus que sur les environs de Bourges. La France semble perdue.

- En 1429, une jeune bergère d'origine lorraine, Jeanne d'Arc, persuade Charles VII de reprendre le combat. Victorieuse des Anglais à plusieurs reprises, elle fait sacrer Charles VII à Reims.

Le roi achève la conquête de la France après la mort de Jeanne d'Arc en 1431.
En 1453, les Anglais sont battus à Castillon et perdent l'Aquitaine qu'ils possédaient depuis trois siècles.

JEANNE D'ARC

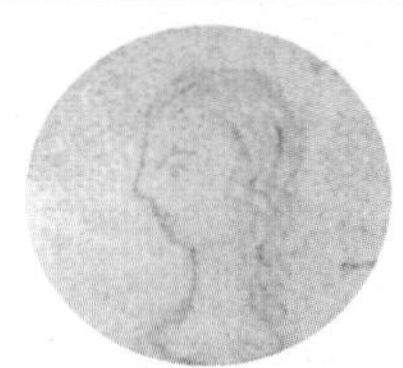

Une sorcière ?

Sorcière, fausse prophétesse [...] Mal pensant en ce qui concerne la foi catholique [...] Excitatrice de la guerre, assoiffée cruellement de sang humain [...] Totalement oublieuse des convenances de son sexe [...] prenant sans rougir l'habit inconvenant des gens de guerre.

Accusations portées contre Jeanne d'Arc à son procès (27 mars 1431).

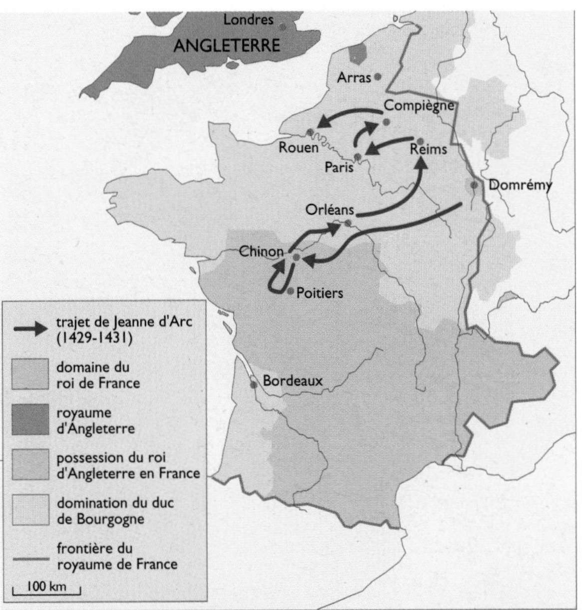

La France à l'époque de Jeanne d'Arc (1412-1431).

CHRONOLOGIE

Vers 1412 : Jeanne d'Arc naît à Domrémy, dans une famille de paysans lorrains.

1429 (février) : elle part pour Chinon et rencontre le roi de France Charles VII. Elle raconte qu'une « voix venue de Dieu » lui a ordonné d'aider le roi à chasser les Anglais de France.

1429 (8 mai) : à la tête d'une armée, elle libère Orléans occupé par les Anglais.

1430 : Jeanne est faite prisonnière à Compiègne par les armées du duc de Bourgogne ; ennemi du roi de France, il la livre aux Anglais.

1431 (janvier-mai) : à Rouen, Jeanne d'Arc est jugée et condamnée par un tribunal composé de Français qui obéissent aux Anglais.

1431 (30 mai) : Jeanne est brûlée vive, place du Vieux-Marché, à Rouen.

Une sainte ?

En 1920, après cinquante années de discussions, l'Église en fait une sainte. Sa fête est célébrée le 12 mai.

Jeanne d'Arc en 1429, dessinée par un secrétaire sur une page d'un registre du parlement de Paris.

C'est le seul portrait dessiné de son vivant. L'auteur l'a représentée avec la bannière et l'épée qu'elle portait pendant le siège d'Orléans. Il lui a conservé son aspect féminin. Elle venait pourtant de se faire couper les cheveux et portait, pour combattre, un costume d'homme.

Une héroïne nationale ?

Dans aucun pays, on ne trouve une aussi belle histoire que celle de Jeanne d'Arc. Tous les Français doivent aimer et vénérer le souvenir de cette jeune fille qui aima tant la France et mourut pour nous.

Extrait d'un livre d'histoire de cours moyen du début du XXe siècle.

Étudier un

Saint-Sernin de Toulouse, une église romane du début du XIIe siècle

Beaucoup d'églises ont été construites au Moyen Âge, à partir du XIe siècle. Des plus humbles aux plus riches, elles témoignent de la foi en Dieu des hommes de cette époque.

1

Quelques définitions

L'art roman : forme d'art qui s'épanouit dans la construction des églises du XIe au XIIe siècle.

La nef : place réservée aux fidèles dans l'église. Elle fait face à l'autel, réservé au prêtre.

Le chevet : partie située à l'extrémité de la nef, à l'opposé du portail d'entrée, derrière l'autel.

Un bas-relief : sculpture sur un fond de pierre ; la pierre est entaillée plus ou moins profondément, le relief est plus ou moins apparent.

Une restauration : travaux d'entretien effectués sur un monument, en respectant la construction initiale. Saint-Sernin a été restaurée au XIXe siècle, puis dans les années 1990.

Quelques informations complémentaires

Nous connaissons l'histoire de Jésus par les récits qu'en ont faits Matthieu, Marc, Luc et Jean au Ier siècle. Ces récits s'appellent les Évangiles.

Les évangélistes sont souvent représentés par des symboles par les peintres ou les sculpteurs :
Matthieu par un ange (ou un homme),
Marc par un lion,
Luc par un bœuf
et Jean par un aigle.

Une vue aérienne de Saint-Sernin de Toulouse.

- Comment s'appelle la partie de l'église que l'on voit au premier plan sur cette photographie ?
- Dessine un plan simple du monument (imagine que tu es en haut du clocher et ne tiens compte que des parties en contact avec le sol). Place les noms *nef*, *chevet* et *autel.*
- Décris le clocher, sa forme, la technique de construction et les matériaux utilisés.

monument

① *Vue aérienne de Saint-Sernin de Toulouse.*

② *La nef de Saint-Sernin, vue du portail d'entrée.*

③ *Christ en gloire avec les évangélistes, un bas-relief de marbre.*

La nef de Saint-Sernin, vue du portail d'entrée.

- Décalque la forme de la voûte. Cette technique de construction des voûtes « en plein cintre » ou « en berceau » est caractéristique de l'art roman.
- Observe attentivement les colonnes qui soutiennent la voûte.
- Quels sont les matériaux qui ont été utilisés ?

La décoration de Saint-Sernin : le « Christ en gloire » avec les évangélistes.

- Décris soigneusement les gestes du Christ.
- Représente sur un croquis simple les différents éléments qui composent ce tympan : un ovale pour le Christ, des cercles pour les symboles des quatre évangélistes (inscris à l'intérieur le nom de chaque personnage représenté).

Pour étudier un monument :

- connaître la date de sa construction ;
- le situer sur une carte ;
- savoir sa fonction ;
- étudier son plan ;
- identifier les matériaux utilisés pour sa construction ;
- analyser les éléments de décoration ;
- faire des croquis ;
- savoir s'il a été restauré.

Campagnes et villes

Le seigneur, le château et le travail des paysans

Au Moyen Âge, neuf habitants sur dix étaient des paysans qui travaillaient des terres sous l'autorité des seigneurs. Ils payaient un impôt pour avoir le droit de cultiver les terres (le cens) de ceux-ci, et lui devaient du travail gratuit (la corvée).

La seigneurie, territoire où s'exerce l'autorité d'un seigneur

Une image de la seigneurie
Les très riches Heures du duc de Berry : le mois d'août
un parchemin du début du XVe siècle

Étudie plan par plan cette œuvre d'art.

Le 1er plan : *un aspect de la vie de la cour du seigneur, la chasse au faucon.*
- Décris ce groupe de personnages (composition du groupe, remarques sur chacun des personnages).

Le 2e plan : *un aspect des travaux des champs.*
- Décris les activités des différents personnages.

L'arrière-plan : *le château.*
- Comment accédait-on à ce château ? Comment le château était-il protégé ? Quelles constructions reconnais-tu entre les deux remparts ?
- Comment les paysans étaient-ils protégés d'éventuels attaquants venus de l'extérieur.
- Quels aspects de la vie des campagnes l'artiste a-t-il choisi de mettre en valeur ?

La protection du seigneur contre la corvée

- Qu'est-ce que la corvée ?
- Que fournit le seigneur en échange ?

En échange de la sécurité qu'il procure, le maître exige. [...] Des manants vigoureux [...], il attend surtout qu'ils contribuent à la défense publique par des travaux manuels, des corvées. Ce sont des paysans qui creusent les fossés, élèvent la motte, coupent et plantent les pieux des palissades. On a calculé que pour édifier un petit fortin, une cinquantaine de manœuvres devaient travailler quarante jours durant.

Georges Duby, *Histoire de France, le Moyen Âge,* 1987

au Moyen Âge

Le travail dans les campagnes

La récolte en danger

Le hersage, une enluminure du début du XIVe siècle.

- Décris les paysans. Quel travail accomplissent-ils ? En quoi consiste ce travail ?
- Qui menace les semailles ? Pourquoi ?
- Comment le paysan de gauche essaie-t-il d'éloigner le danger ?

Le travail familial

Un manuscrit latin

- Décris le travail du père.
- Comment peut-on expliquer les différences dans l'habillement ?
- La mère s'occupe des enfants, du nouveau-né surtout, mais elle travaille aussi, elle file. En quoi consiste cette activité ?

Campagnes et villes au Moyen Âge

Le commerce, les métiers et les libertés

À partir du XIIe siècle, les villes se développèrent. On dut bâtir des enceintes de protection plus grandes. De nouvelles villes furent créées. Dans les villes, les habitants se libéraient peu à peu de l'autorité des seigneurs.

La ville fortifiée

Carcassonne

- Étudie le système de protection de la ville :

→ l'enceinte extérieure (10 m de hauteur) mesure 1 500 m, l'enceinte intérieure (14 m de hauteur) mesure 1 200 m ;

→ le château-fort

- Réalise un plan des fortifications de Carcassonne telles qu'elles apparaissent sur la photographie.

La ville, lieu de production

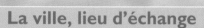

L'atelier du menuisier
Miniature de la fin du XVe siècle.

- Nomme les outils du menuisier.
- À quelle catégorie de la population étaient destinés les meubles en préparation rangés contre le mur ?
- La femme file. Où a-t-elle pu se procurer la laine nécessaire à son travail ?

La ville, lieu d'échange

Le marché de Champeaux à Paris
Miniature du XIVe siècle.

- Décris l'organisation de ce marché. L'artiste a-t-il respecté les proportions ?
- Dresse la liste des différents produits à vendre.
- Observe les vêtements des personnages. Essaie de nommer les différentes catégories de personnes représentées.

La ville, lieu de l'instruction

Un cours à l'Université

Miniature du XVe siècle.

- Dans quel lieu se déroulait le cours ?
- Comment l'artiste a-t-il mis en valeur le professeur ?

S'instruire pour commercer

Dès le milieu du XIIe siècle, les conseils municipaux se sont préoccupés de fonder pour les enfants de la bourgeoisie[1] des écoles qui sont les premières écoles laïques depuis l'Antiquité. [...] La connaissance de la lecture et de l'écriture, étant indispensable à la pratique du commerce, n'est plus réservée aux seuls membres du clergé. Le bourgeois s'y est initié bien avant le noble, parce que ce qui n'était pour le noble qu'un luxe intellectuel était pour lui une nécessité journalière.

H. Pirenne, historien, *Villes et institutions urbaines,* 1939.

(1) les habitants plus ou moins fortunés du bourg, de la ville.

- À qui était surtout réservée l'instruction avant le XIIe siècle ?
- Qui va en bénéficier maintenant ? Pourquoi ?

Des libertés nouvelles pour les villes

Le seigneur s'adresse aux habitants de la ville de Châteaudun

Moi, Louis, comte de Blois, fais savoir :

1. Que tous les hommes demeurant dans mon domaine, qui me doivent la taille[1], sont par moi reconnus exempts de la taille et des aides[1] exceptionnelles.
2. Il sera permis aux bourgeois d'élire douze d'entre eux dont l'avis sera l'avis de la ville.
3. Je délivre entièrement du joug de ma servitude tous les serfs de mon domaine.
4. Si un habitant veut vendre ce qu'il possède, qu'il le vende. S'il veut s'éloigner de la ville, qu'il se retire libre. Quiconque sera venu dans mon domaine avec l'intention d'y demeurer, pourra y prendre domicile.
5. Nul dans mon domaine ne fera pour moi la corvée.
6. Les habitants seront tenus envers moi au service militaire.

Charte de Châteaudun, 1197.

(1) impôt

- Quelle est la personne qui s'exprime ? À qui s'adresse-t-elle ?
- Que déclare-t-elle dans chacun des articles ?
- Quelles sont les conséquences pour les habitants ?

Rédige une courte phrase pour chacun des paragraphes.

Mets bien en opposition les deux grandes parties. Tu obtiendras ainsi un résumé des notions essentielles à retenir sur la vie dans les campagnes et dans les villes au Moyen Âge.

5
6

8

LE TEMPS DES CATHÉDRALES

1. Cherche le sens des mots *chœur, voûte, nef, pilier, portail, vitrail.* Cherche une illustration de chacun de ces termes dans les documents.

2. Que peux-tu dire sur les matériaux utilisés pour bâtir ces monuments ?

3. Comment ces cathédrales étaient-elles décorées ?

4. Comment la lumière du jour pénètre-t-elle dans les cathédrales ? Comment est-elle transformée ?

5. Quelle impression se dégage de ces cathédrales ?

7

9

« Je me ferai savant en la philosophie,
En la mathématique et la médecine aussi ;
Je me ferai légiste[1], et, d'un plus souci,
Apprendrai les secrets de la théologie ;
Du luth et du pinceau j'ébatterai[2] ma vie,
De l'escrime et du bal ». Je discourais ainsi
Et me vantais d'apprendre tout ceci,
Quand je changeai la France au séjour d'Italie[3].

Regrets, XXXII, Joachim du Bellay, 1558

Le Printemps (1477-1478) de Sandro Botticelli

Botticelli fut un des grands peintres de la Renaissance italienne. Il passa presque toute sa vie à Florence. Le Printemps *évoque l'Antiquité, car il représente des dieux et des déesses grecs. Il évoque aussi la nature et la beauté idéale.*

La Renaissance

À partir du XVe siècle,
une civilisation très brillante
se développa en Italie,
puis en France.
Artistes, savants et écrivains
se passionnèrent pour l'étude
des œuvres de l'Antiquité grecque
et romaine. La soif d'apprendre
et de découvrir était grande.
Cette époque fut appelée
la Renaissance.

Observe le tableau de Sandro Botticelli.

1. De quel pays est originaire l'artiste ?

2. Comment l'artiste montre-t-il la beauté idéale de la nature ?

Lis le texte.

3. Quelles matières pensait apprendre le poète Du Bellay ?
Dans quel pays se rendit-il pour cela ?

4. En lisant ce texte que peut-on dire des hommes de cette époque ?

(1) Celui qui étudie le droit et les lois
(2) Je rendrai ma vie plus gaie
(3) Quand je me rendis en Italie

À la fin du XVe siècle, les Européens découvrirent et occupèrent l'Amérique. Les guerres d'Italie, à l'époque de François Ier, firent découvrir aux Français les chefs d'œuvre des artistes italiens de la Renaissance. Au XVIe siècle, Martin Luther et Jean Calvin fondèrent la religion protestante.

Des terres nouvelles

À la fin du XVe siècle, les navigateurs portugais et espagnols cherchaient des épices, de l'or et des routes nouvelles pour leur commerce vers les Indes. Jusqu'à cette époque, les échanges avec l'Orient s'effectuaient par la mer Méditerranée et les voies terrestres du Moyen-Orient. Les Arabes contrôlaient les grandes routes de ce commerce.
En 1492, Christophe Colomb partit vers l'Ouest à travers l'Atlantique et débarqua sur un continent inconnu des Européens : l'Amérique. Espagnols et Portugais s'installèrent sur ces terres nouvelles. L'Amérique était l'Eldorado pour les Européens. Des navires ramenaient chaque année des cargaisons de métaux précieux provenant des mines d'or du Pérou. Les Indiens qui vivaient en Amérique durent se convertir au christianisme et travailler dans les mines et les plantations. Beaucoup moururent de maladies et de mauvais traitements.

La renaissance du savoir

Au début du XVIe siècle, au cours des guerres d'Italie, le roi et les seigneurs français avaient admiré les palais italiens et les œuvres des grands artistes de la Renaissance. De retour en France, beaucoup se firent édifier des demeures et des châteaux dans le style de ceux qu'ils avaient découverts en Italie. Des artistes italiens furent invités à travailler en France. De 1517 à 1519, le peintre et savant Léonard de Vinci séjourna à la cour du roi François Ier.
Les hommes de lettres du XVIe siècle admiraient les écrivains de l'Antiquité. Ils traduisirent eux-mêmes les œuvres des anciens grecs et romains. Ces savants avaient une grande confiance en l'homme, capable d'apprendre et de raisonner : on les appelait les humanistes. Ils pensaient que les idées de tolérance et de liberté individuelle étaient essentielles.
Dans toute l'Europe, écrivains et savants publiaient de plus en plus d'ouvrages. L'imprimerie, mise au point vers 1450, permettait de produire beaucoup de livres, bien moins chers que les manuscrits.

Les guerres de religion, la violence et le fanatisme

Au XVIe siècle, beaucoup reprochaient au pape de vivre dans le luxe et d'oublier l'enseignement du Christ.
En 1517, le moine allemand Martin Luther critiqua publiquement le pape. Il refusait désormais de lui obéir. Luther pensait que les chrétiens devaient lire eux-mêmes la Bible traduite du latin en langue populaire (le français, l'allemand). Beaucoup de princes allemands suivirent ses idées et fondèrent la religion « protestante ». Un Français, Jean Calvin, répandit les idées protestantes en France.
Le roi de France, catholique, ne pouvait tolérer que ses sujets pratiquent une autre religion que la sienne. Or, les protestants étaient de plus en plus nombreux et puissants en France. En 1562, la guerre civile éclata entre protestants et catholiques. Très intolérants, les deux partis pillaient et tuaient au nom de Dieu.
Lorsque Henri IV devint roi de France, les catholiques ne l'acceptèrent pas parce qu'il était protestant. Il dut accepter de se convertir au catholicisme pour entrer dans Paris. En 1598, par l'Édit de Nantes, Henri IV autorisa les protestants français à pratiquer librement leur religion.

▲ *La fontaine des Innocents à Paris.*
Une œuvre du sculpteur Jean Goujon (1510-1564).

Notions

• La Renaissance

C'est l'ensemble des créations artistiques, littéraires et scientifiques qui ont pris naissance en Italie au XVe siècle. Les arts, les façons de penser de la Renaissance se sont répandus ensuite dans toute l'Europe au XVIe siècle.

• La Réforme

Cest la critique du pape et du catholicisme par le moine allemand Martin Luther qui donna naissance à la religion protestante.
En France, les protestants prirent le nom de « Réformés » et suivirent les idées de Calvin, réformateur encore plus rigoureux que Luther. Pour les fidèles « réformés », il n'y a plus de messe, mais des réunions dans des temples simples, sans luxe, où on lit la Bible.

Martin Luther (1483-1546).
Portrait de 1529 par Lucas Cranach (1472-1553).

CHAMBORD

François Ier fit raser le vieux château fort qui existait à cet endroit. Désormais, les vieilles forteresses, malgré leurs épaisses murailles, ne pouvaient plus résister aux nouvelles armes à feu, canons et boulets de fonte. Le nouveau château était une des résidences du roi qui se déplaçait avec sa cour, de château en château. Il aimait la vallée de la Loire, à cause de la douceur du climat. Grand chasseur, il appréciait aussi ses forêts giboyeuses.

Le château de Chambord.
Édifié par le roi François Ier, de 1519 à 1539, à 20 km de Blois (Loir-et-Cher).

Un architecte italien dessina les plans de Chambord, peut-être à partir d'un projet de Léonard de Vinci. Les grosses tours rondes à toit pointu rappellent le Moyen Âge. Mais c'est un château Renaissance par sa décoration. Le bâtiment central abrite en son centre deux escaliers monumentaux qui s'élèvent en hélice ; ils auraient été dessinés par Léonard de Vinci. Sur les toits, on peut se promener au milieu d'une forêt de cheminées, de lucarnes et de tourelles ornées de motifs en ardoise et d'éléments en marbre multicolore. C'est de là que la cour suivait les chasses du roi.

1515, Marignan

Écoutez tous gentils Gaulois,
La victoire du noble roi François.[...]
Arquebusiers faites vos sons,
Nobles, sautez dans les arçons
La lance au poing, hardis et prompts,
Donnez dedans, grincez les dents,
Soyez hardis, en joye mis.
Chacun s'assaisonne,
La fleur de lis, fleur de haut pris
Y est en personne. [...]
Bruyez, tonnez, bruyez bombardes et faucons
Zin zin, patipatac, à mort, à mort !
Frappez, battez, ruez, tuez,
Donnez dedans, grincez les dents
France courage, ils sont en fuite [...]
Victoire au grand roi des Françoys !

La Guerre (La bataille de Marignan).
Une chanson de Clément Janequin (1485-1560).

À Marignan, en Italie du nord, près de Milan, les 13 et 14 septembre 1515, l'armée du roi de France remporta la victoire sur 20 000 mercenaires suisses. Ces soldats professionnels étaient commandés par le cardinal de Sion et se battaient pour les Italiens.

François Ier, jeune.
Arrivé au trône en 1515, François Ier, âgé de vingt ans, avide de gloire et d'action partit reconquérir les territoires italiens perdus par les rois de France en 1512.

Marignan fut une des premières batailles modernes, même si l'armure et l'équipement des chevaliers font penser au Moyen Âge.
Les Français ont remporté la victoire grâce à 300 canons de bronze, armes modernes de l'époque.
Dix ans après, en 1525, François Ier, vaincu, prisonnier de l'empereur Charles Quint, perdit toutes ses conquêtes italiennes. Au retour de Marignan, le roi et son entourage organisèrent une propagande habile à la gloire de la monarchie française. Le roi fit des entrées triomphales à Marseille et à Lyon.
On écrivit des poèmes, des chansons, on grava des médailles qui exaltaient la victoire de Marignan.

▼ Au centre du tableau, on reconnaît François Ier au caparaçon bleu à fleurs de lys de son cheval. Le cardinal de Sion, vêtu d'un manteau rouge, s'enfuit sur sa mule à l'arrière-plan.

La bataille de Marignan (13-14 septembre 1515).
Gouache par le « Maître à la ratière ».

« Le royaume de France est le plus important de l'univers ; mais il le serait encore davantage s'il s'était abstenu de faire la guerre en Italie ».

Extrait d'une lettre d'Érasme, un homme de lettres hollandais, à Marguerite d'Angoulême, sœur de François Ier, en 1525.

1572, La Saint-Barthélemy

Les événements

Dans la nuit du 24 au 25 août 1572, sur l'ordre du roi, au signal donné par les cloches du Louvre, les chefs protestants furent exécutés par les hommes d'armes du roi.
La population parisienne participa aussi aux massacres qui suivirent.
Il y eut environ 2 000 victimes.
Le roi de Navarre n'échappa à la mort qu'en se convertissant au catholicisme.

Les circonstances historiques

Depuis 1562, la France était ravagée par les guerres de religion entre protestants et catholiques.
Mais un certain calme revint vers 1570.
Des seigneurs protestants jouaient un rôle important dans les affaires du Royaume et dans l'entourage du roi.

Le 24 août 1572, jour de la Saint-Barthélemy, les chefs protestants étaient réunis à Paris pour fêter le mariage de l'un d'entre eux, Henri de Navarre (futur Henri IV) avec Marguerite de Valois, sœur du roi de France.
Catherine de Médicis, mère du jeune roi Charles IX, très hostile aux protestants, persuada son fils que ceux-ci avaient organisé un complot pour prendre le pouvoir.

Les conséquences

De semblables tueries eurent lieu dans d'autres villes de France, qui firent 5 000 victimes.
La guerre entre protestants et catholiques reprit avec encore plus de violence dans toute la France, jusqu'en 1598 (Édit de Nantes de Henri IV).
L'autorité royale fut très affaiblie. Charles IX et surtout Catherine de Médicis étaient désormais haïs par une partie de leurs sujets.

À Monsieur le Roy Catholique,
Monsieur, vous ressentez certainement comme nous le bonheur que Dieu nous a fait de nous donner le moyen au Roi mon fils de se défaire de ses sujets rebelles à Dieu [...] Nous sommes sûrs que vous en louerez Dieu avec nous, tant pour vous, que pour le bien qui en reviendra à toute la chrétienté [...] et au service et honneur et gloire de Dieu.

Extrait d'une lettre de Catherine de Médicis à Philippe II d'Espagne, en 1572, après la Saint-Barthélemy.

Le massacre de la Saint-Barthélemy, les 24 et 25 août 1572, à Paris.
Le peintre a représenté les principaux endroits de Paris où ont été commis les massacres. De gauche à droite : la Seine, le château du Louvre.
Peinture de François Dubois (1529-1584).

La

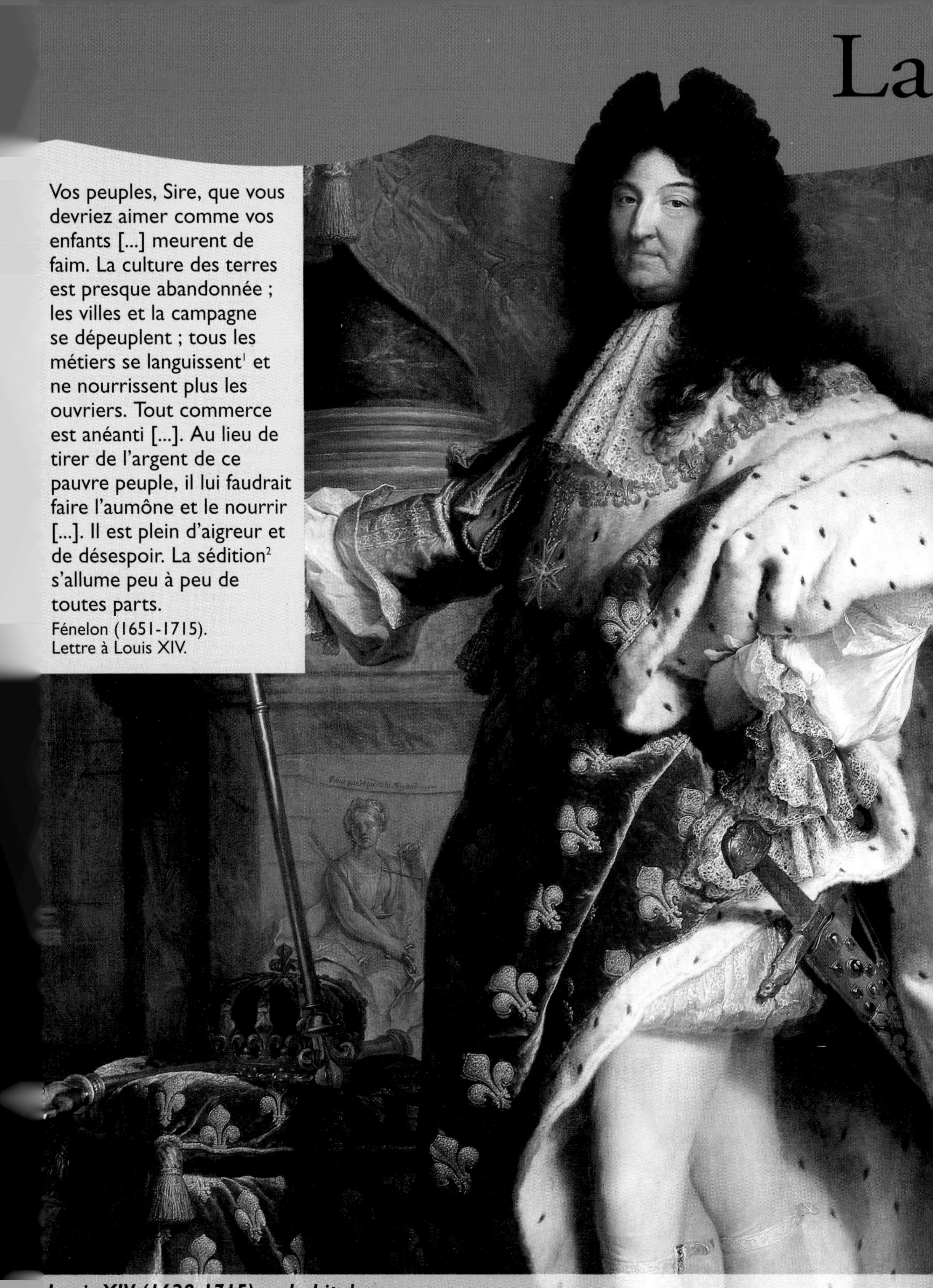

Vos peuples, Sire, que vous devriez aimer comme vos enfants [...] meurent de faim. La culture des terres est presque abandonnée ; les villes et la campagne se dépeuplent ; tous les métiers se languissent[1] et ne nourrissent plus les ouvriers. Tout commerce est anéanti [...]. Au lieu de tirer de l'argent de ce pauvre peuple, il lui faudrait faire l'aumône et le nourrir [...]. Il est plein d'aigreur et de désespoir. La sédition[2] s'allume peu à peu de toutes parts.

Fénelon (1651-1715).
Lettre à Louis XIV.

Louis XIV (1638-1715) en habit de sacre.
Portrait officiel, commandé par Louis XIV au peintre Hyacinthe Rigaud en 1701. Le sacre avait eu lieu en 1654 ! Louis XIV aimait tellement ce tableau (de très grandes dimensions), qu'il l'avait fait placer dans la salle du trône, à Versailles.

monarchie absolue

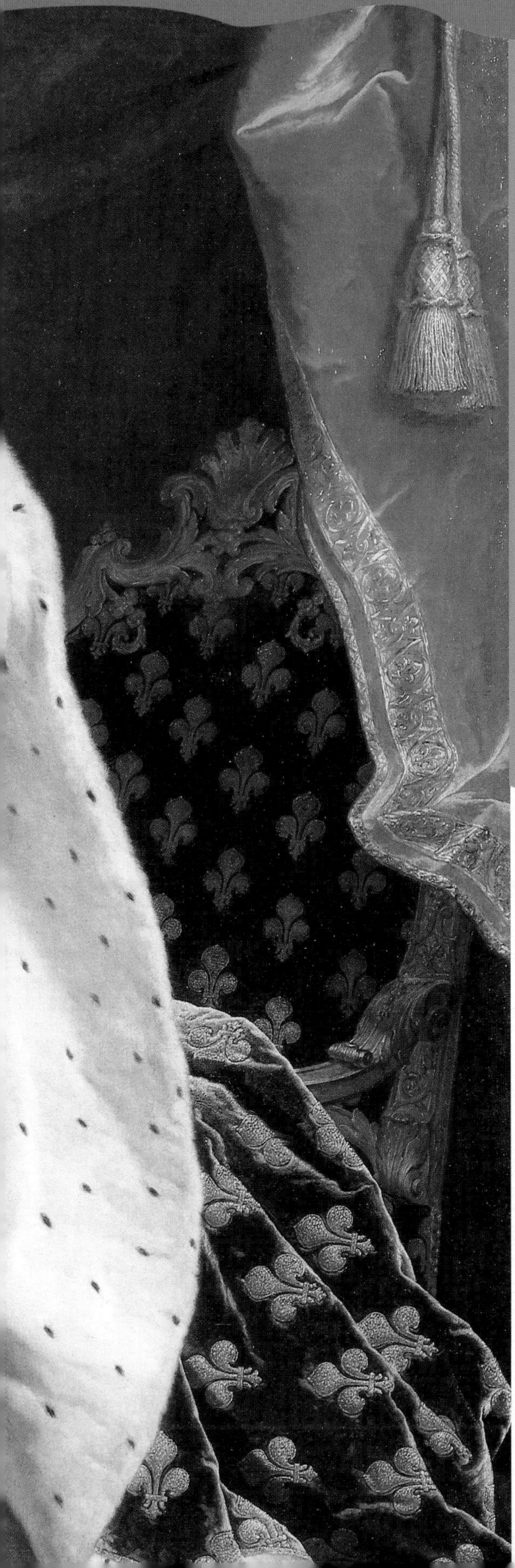

Louis XIV se faisait appeler « Louis le Grand ». C'était un monarque absolu. Il ne partageait son pouvoir avec personne. Surnommé le « Roi-Soleil », parce qu'il avait choisi le soleil pour emblème, il fit connaître la gloire et le malheur à son royaume. La monarchie absolue se poursuivit avec Louis XV et Louis XVI, mais disparut en 1789.

Observe le tableau.

1. À quels détails reconnais-tu le roi de France ?

2. Observe le décor, les vêtements et l'attitude du roi. Quelle image de la monarchie le peintre a-t-il voulu donner ?

Lis le texte.

3. Quel est l'état du royaume décrit par Fénelon ?

4. À qui s'adresse Fénelon ? Pourquoi ?

5. Quelles remarques t'inspirent ces deux documents ?

(1) ont peu d'activités.
(2) révolte.

Louis XIV devint roi à cinq ans et régna soixante-douze ans, de 1643 à 1715. Il fut un monarque absolu. Il soutint les artistes et les savants et développa l'économie du pays. Mais les nombreuses guerres et les dépenses de la cour finirent par ruiner le royaume. En 1685, il interdit la religion protestante.

Louis XIV, un monarque absolu

Depuis le Moyen Âge, les rois de France avaient affirmé leur autorité sur les grands seigneurs du royaume. Par la cérémonie du sacre, ils devenaient des rois de droit divin. Ils faisaient les lois et la justice était rendue en leur nom. Peu à peu, les rois devinrent des souverains absolus, ce qu'acceptaient mal les grands seigneurs du royaume qui se révoltaient souvent. Profitant de la jeunesse du roi Louis XIV — il avait cinq ans à la mort de son père — les grands seigneurs se soulevèrent. Ce fut la Fronde. Le cardinal Mazarin, fidèle serviteur du roi, brisa cette révolte. En 1661, à la mort de Mazarin, Louis XIV décida de gouverner seul. Sûr d'être le représentant de Dieu sur terre, il pensait que lui seul devait prendre les décisions concernant le royaume. Il choisit ses ministres parmi les bourgeois, non nobles, car il craignait l'ambition des grands seigneurs. En 1682, il s'installa avec sa cour dans son vaste château de Versailles. Les grands seigneurs devaient y paraître et participaient à des fêtes ruineuses.

Le noble et le paysan.
Au XVIIe siècle, les paysans devaient des impôts non seulement au roi, mais aussi aux seigneurs. Gravure satirique de 1657.

Un royaume très puissant

Le roi protégeait de nombreux artistes. Il s'intéressait aussi aux sciences : cela ajoutait à sa gloire. Il encouragea les expéditions lointaines. En Amérique du Nord, Cavelier de la Salle explora le fleuve Mississippi et donna le nom de « Louisiane » à cette région, en l'honneur du souverain français. Le ministre Colbert réorganisa la marine et entreprit de grands travaux, comme le percement du canal du Midi, pour favoriser le commerce. En 1715, la France comptait 20 millions d'habitants. C'était le royaume le plus peuplé d'Europe. Louis XIV voulait aussi que la France soit une grande puissance. De 1672 à 1714, il conduisit quatre guerres contre presque tous les pays européens. Victorieux au début, il évita de peu l'invasion de la France à la fin de son règne.

Misère et persécutions au royaume de France

Les guerres et les dépenses du roi et de la cour ruinaient le royaume. Le roi avait augmenté les impôts qui pesaient de plus en plus lourd sur le peuple. En effet, la noblesse et le clergé ne payaient pas d'impôt depuis l'époque où les seigneurs offraient leur protection aux paysans : ils étaient « privilégiés ». Les révoltes des paysans qui refusaient l'impôt étaient fréquentes. À la fin du règne, la misère s'accompagna de famines et d'épidémies qui entraînaient la mort de beaucoup d'hommes, de femmes et d'enfants.

Roi absolu, Louis XIV ne pouvait tolérer que tous ses sujets n'aient pas la même religion que lui. En 1685, il supprima l'Édit de Nantes, que le roi Henri IV avait signé pour en finir avec les guerres de religion. Les protestants durent se convertir ou quitter le pays. Ils étaient un million, 250 000 s'exilèrent. En 1715, à la mort de Louis XIV, la France était une grande puissance européenne, mais le pays était épuisé.

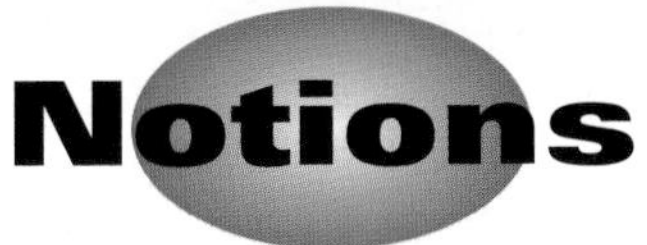

La bourgeoisie

Au XVIIe siècle, ce sont surtout les commerçants et les hommes d'affaires, comme dans la famille de Colbert. Les bourgeois devaient payer l'impôt au roi. Certains pouvaient devenir nobles en achetant un titre de noblesse, ce que fit Colbert pour ses fils.

La noblesse

C'est l'ensemble des personnes qui descendent des seigneurs du Moyen Âge. Les nobles étaient privilégiés. Les emplois d'officiers leur étaient réservés dans l'armée et ils ne payaient pas d'impôt au roi.

Le droit divin

Le pouvoir du roi vient de Dieu. Personne ne peut prétendre se placer au-dessus de lui.

Une dragonnade.
À partir de 1680, le roi choisit la force pour convertir les protestants.
« Les moyens sûrs et honnêtes pour ramener les hérétiques à la foi catholique ».
Estampe satirique.

VAUX-LE-VICOMTE

**Vaux-le-Vicomte fut construit pour Nicolas Fouquet, alors Surintendant, c'est-à-dire ministre des finances, de Louis XIV.
C'est un château d'un nouveau style, appelé « classique », à cause de la simplicité de ses lignes horizontales et verticales et de ses colonnes imitées de l'Antiquité.
Les jardins « à la française » étaient dessinés selon un plan géométrique.**

Vaux-le-Vicomte, en Seine-et-Marne, construit de 1656 à 1661.

Lorsque son château fut achevé, Nicolas Fouquet, qui était aussi un homme d'affaires très riche, y organisa un fête magnifique avec spectacles de ballets et feux d'artifice. Il y invita le jeune roi Louis XIV qui n'avait pas encore son palais de Versailles. Le roi fut vexé de voir tant de luxe chez un de ses sujets. Le ministre Colbert, qui souhaitait la place de Fouquet, persuada le roi que Fouquet s'était enrichi avec l'argent de l'État. Louis XIV fit arrêter, juger et enfermer Fouquet jusqu'à sa mort.
Pour construire Versailles, Louis XIV fit appel aux artistes qui avaient travaillé pour Fouquet : l'architecte Le Vau, le peintre Charles Lebrun et Le Nôtre pour les jardins.

Molière

Un homme de théâtre

Molière
dans le rôle de César
(*La Mort de Pompée*,
de Pierre Corneille)
peint en 1641
par Nicolas Mignard.

Les pièces les plus connues de Molière :

1662 : L'École des femmes.
1664 : Tartuffe.
1665 : Le Médecin malgré lui. Dom Juan.
1668 : L'avare.
1670 : Le Bourgeois gentilhomme.
1672 : Les Femmes savantes.
1673 : Le Malade imaginaire.

Jean-Baptiste Poquelin dit Molière (1622-1673)

1642-1658 : Molière parcourt la France avec la troupe de « l'Illustre-Théâtre ». Il joue des comédies italiennes, plus fantaisistes et plus drôles que les comédies françaises de cette époque.

1658 : Molière s'installe à Paris. Il est protégé par le frère du roi et par Fouquet.

1665 : il est « employé » par Louis XIV et devient directeur de la « Troupe du Roi » à Versailles pour y jouer ses propres pièces.

Représentation à Versailles en 1676 du Malade Imaginaire *de Molière.*
Une gravure du XVIIe.

➢ **Molière** est l'auteur de très nombreuses pièces de théâtre.
Ce sont surtout des comédies, souvent accompagnées de ballets, très animées, où il se moquait de ses contemporains : femmes trop coquettes ou trop savantes, maris jaloux, médecins ignorants et malfaisants, catholiques trop pieux et hypocrites. Il se fit beaucoup d'ennemis, mais eut toujours la protection de Louis XIV qui l'appréciait beaucoup.

COLBERT

Un ministre de Louis XIV

Colbert encourage le commerce :

- Création de la Compagnie des Indes orientales, en 1664, qui organisait le commerce avec l'Asie.
- Développement de la marine (construction de bateaux).
- Création des manufactures comme la manufacture des Gobelins qui fabriquait des meubles et des tapisseries.

Colbert développe les sciences pour faire de la France une grande puissance :

- 1666, fondation de l'Académie royale des sciences à Paris.
- 1667, construction de l'Observatoire de Paris où travaillaient des savants français et étrangers.
- 1667, commande d'une série de cartes au géographe Cassini, dans le but de mesurer le territoire et dresser une carte précise de la France.

Quelques jugements sur Colbert :

Esprit solide mais pesant, né principalement pour les calculs [...] Toujours magnifique en idées et presque toujours malheureux dans l'exécution, il croyait pouvoir se passer des soies du Levant, des laines d'Espagne, des draps de Hollande et des tapisseries de Flandres [...] Il établit toutes sortes de manufactures qui coûtaient plus qu'elles ne valaient.

Abbé de Choisy, contemporain de Colbert, *Mémoires.*

Il avait une grande obstination, une énorme puissance de travail, le goût de l'ordre, la pratique des dossiers, quelques idées claires, parfois fausses, et une avidité immodérée : seul ce dernier trait était banal.

P. Goubert, historien. *Louis XIV et vingt millions de Français,* 1966.

Colbert présente à Louis XIV les membres de l'Académie royale des sciences.
Tableau de 1667, par Testelin.

JEAN-BAPTISTE COLBERT (1619-1683)

1619 Colbert naît à Reims dans une riche famille bourgeoise de banquiers.

1661-1683 Colbert arrive peu à peu aux postes les plus importants de l'État :
→ surintendant des Bâtiments du roi (1664) ;
→ contrôleur général des Finances (1665) ;
→ secrétaire d'État à la Maison du roi (1668) ;
→ secrétaire d'État à la Marine (1669).

Seul le domaine de la politique extérieure lui échappe.

La Révolution

Jamais peut-être aucune nation n'a vu chez elle de si grands événements politiques arriver en si peu de temps [...] Le despotisme a été absolument abattu, les privilèges du clergé et de la noblesse ont été pour toujours abolis [...] la puissance royale réduite à ses plus justes bornes. Ce qui doit étonner, c'est que tout cela s'est opéré sans grande effusion de sang.

Notes d'un curé de campagne en 1789.

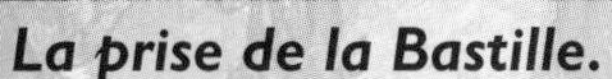

La prise de la Bastille.

Il existe de nombreuses images de la prise de la Bastille, le 14 juillet 1789, tant cet événement révolutionnaire fut reconnu comme important. L'artiste a cherché à représenter les différents moments de cette journée mémorable. Une aquarelle de Cholat..

L'année 1789 a vu des changements extraordinaires qui marquent encore notre époque. La Déclaration des droits de l'homme de 1789 constitue la base de notre démocratie. La Révolution française proposait des idées de justice, mais elle bouleversait les habitudes, en France et en Europe.

Observe le tableau.

1. Observe les assaillants et décris les différentes situations du combat. Les assaillants sont-ils tous des soldats ? Décris les différentes manières dont ils sont vêtus. De quels moyens d'attaque disposent-ils ? Que font les assiégés ?

2. À ton avis, cette image illustre-t-elle un seul ou plusieurs moments de la prise de la Bastille ? Qu'a voulu représenter l'artiste ?

Lis le texte.

3. Qui est l'auteur ? À quel ordre appartenait-il ? À quelle époque a-t-il vécu ?

4. De quels événements parle-t-il ? Comment en parle-t-il ? Comment trouves-tu son témoignage ?

La Révolution de 1789 abattit l'Ancien Régime. Autour de la Déclaration des droits de l'homme et de l'abolition des privilèges, une France nouvelle s'organisa. Le roi Louis XVI n'accepta pas la fin de la monarchie absolue. Il fut renversé en 1792 et la République fut proclamée.
À partir de 1792, la France révolutionnaire s'affronta à l'Europe des rois, dans une guerre qui ne s'arrêta qu'en 1815.

Avant la Révolution, des idées nouvelles

Au cours du XVIIIe siècle, les philosophes proposèrent des idées nouvelles. Montesquieu contestait le pouvoir absolu du roi et Voltaire se fit le champion de la tolérance et de la liberté religieuse. Rousseau proposait que la société soit composée d'hommes libres et égaux en droits ; le pouvoir devait venir du peuple et non du roi.
L'ensemble des idées nouvelles et des connaissances scientifiques du temps fut rassemblé dans l'*Encyclopédie* de Diderot.
Le roi de France répondait à ces idées par la censure. Mais déjà en Angleterre, en 1688, le pouvoir du roi avait été réduit par une révolution. En Amérique, les colonies anglaises proclamèrent leur indépendance en 1776 en affirmant que « tous les hommes ont été créés égaux ».

1789, la naissance de la démocratie en France

Sous le règne de Louis XVI, la France connaissait de graves difficultés. Pour les résoudre, le roi décida de réunir les états généraux. À l'occasion de l'élection de leurs députés, les Français rédigèrent des cahiers de doléances dans lesquels ils demandaient la liberté individuelle et la fin des privilèges des nobles et du clergé.
Les états généraux se réunirent à Versailles le 5 mai 1789. Les députés du tiers état qui représentaient neuf Français sur dix s'opposèrent au roi et aux privilégiés. Ils décidèrent de former une Assemblée nationale et de rédiger une constitution. Comme le roi voulait faire appel à l'armée pour défendre son pouvoir, le peuple de Paris se souleva et prit la Bastille, le 14 juillet. Dans les campagnes, les paysans entrèrent également en révolte contre les seigneurs.
Soutenue par le peuple, l'Assemblée nationale vota l'abolition des privilèges et la Déclaration des droits de l'homme et du citoyen. Elle décida aussi que désormais les lois seraient votées par une assemblée élue.

1793, la République en guerre contre l'Europe

Louis XVI refusait les changements. Entraîné par les nobles dont beaucoup avaient quitté la France, il tenta même de fuir à l'étranger.
Il perdit alors la confiance du peuple.
Les rois d'Europe craignaient que la Révolution française s'étende à leurs États. En 1792, ce fut la guerre. Les armées prussienne et autrichienne pénétrèrent en France.
Louis XVI, qui espérait la défaite, ne prit pas les mesures nécessaires à la défense de Paris.
Le 10 août 1792, le peuple se révolta et attaqua les Tuileries où était le roi. La monarchie fut renversée et, le 22 septembre 1792, la République fut proclamée par la Convention, la nouvelle assemblée élue.
Depuis l'exécution du roi, le 21 janvier 1793, les Français étaient profondément divisés et la menace extérieure était de plus en plus grande. Pour faire face au danger, un gouvernement révolutionnaire fut mis en place. Guidé par des chefs comme Robespierre et Danton, il organisa la Terreur : les opposants furent arrêtés, beaucoup furent guillotinés, et tous les hommes furent mobilisés pour la défense du pays.
À l'été 1794, la Révolution triomphait de ses ennemis, mais au prix de terribles massacres, comme en Vendée, à Nantes et à Lyon.

Notions

- **Les philosophes**
Ce sont des personnes, le plus souvent des écrivains, qui essaient de découvrir les principes des sciences, de la morale et de la vie, qui tentent de comprendre l'homme et la nature par la raison.

- **La censure**
C'est l'interdiction de certains écrits qui déplaisaient au roi ou à l'Église.

- **Les états généraux**
Sous l'Ancien Régime, c'était l'assemblée des représentants des trois ordres, clergé, noblesse et tiers état, réunie périodiquement par le roi pour délibérer des grands problèmes du royaume.

- **Les cahiers de doléances**
C'étaient les demandes et plaintes des Français rédigées à la demande du roi.

- **La constitution**
C'est l'ensemble des lois qui définissent et limitent les pouvoirs des gouvernants.

La bataille de Fleurus, le 26 juin 1794.
Après l'exécution du roi de France, l'Europe entière se dressa contre la Révolution. La bataille de Fleurus, en Belgique, marqua la victoire de la France et de la Révolution.

LES DÉPARTEMENTS

Avant 1789, les lois et les règlements variaient d'une province à l'autre. Les pouvoirs du roi n'étaient pas les mêmes partout.

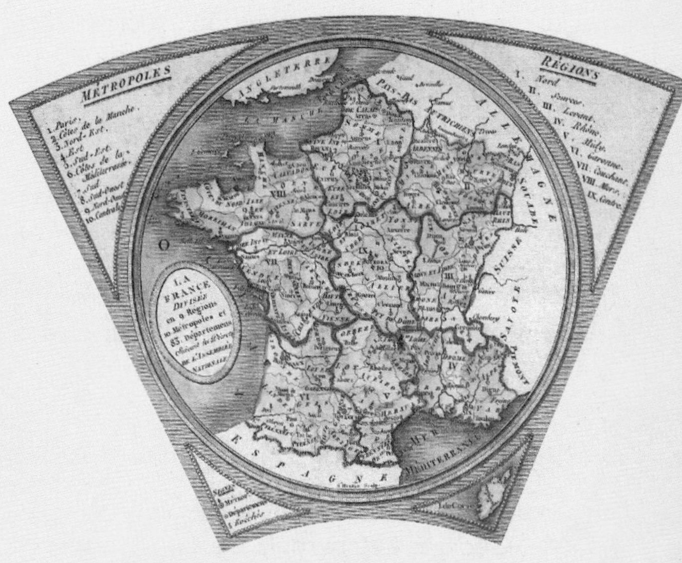

Détail d'un éventail de l'époque.

La création des départements en 1790 constitua une des réformes les plus importantes réalisées par l'Assemblée constituante (l'Assemblée nationale chargée de rédiger une constitution prit le nom d'Assemblée constituante). Elle permit l'unification de la France.
C'est dans le cadre départemental que désormais s'organisa l'administration du pays : les lois et les règlements s'appliquèrent de la même façon sur tout le territoire.
Un grand débat eut lieu au moment du choix du nombre, des limites et des chefs-lieux des départements. Mirabeau, le grand orateur de l'Assemblée constituante, proposa que l'on tienne compte des traditions pour effectuer ce découpage. Ce fut une belle réussite puisque la plupart de nos départements, divisés en cantons et en communes, remontent à cette époque.

LA DÉCLARATION DES DROITS DE L'HOMME ET DU CITOYEN

Trois articles fondamentaux, bases de la démocratie

Art. 1 - Les hommes naissent et demeurent libres et égaux en droits. Les distinctions sociales ne peuvent être fondées que sur l'utilité commune.

Art. 2 - Le but de toute association politique est la conservation des droits naturels et imprescriptibles de l'homme : ces droits sont la liberté, la propriété, la sûreté et la résistance à l'oppression.

Art. 3 - Le principe de souveraineté réside essentiellement dans la Nation ; nul corps, nul individu ne peut exercer d'autorité qui n'en émane expressément.

DROIT DIVIN
LE ROI
LES ÉDITS
noblesse
clergé
la nation doit obéir à la volonté royale
le tiers état

Avant la Révolution.

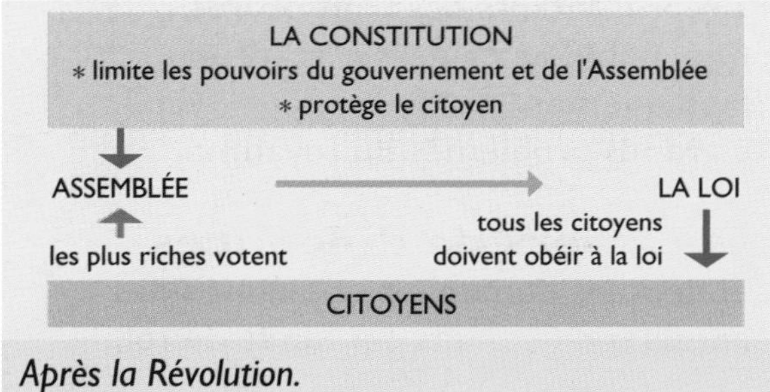

Après la Révolution.

➢ Pour un grand historien de la Révolution française, Georges Lefebvre, la Déclaration des droits de l'homme et du citoyen est « l'acte de décès de l'Ancien Régime ».

L'artiste a mis en scène cette mort : à gauche, les temps anciens, sombres et sous l'orage ; à droite, la lumière de l'époque nouvelle, née de la Révolution.

Tableau des droits de l'homme.
Gravure de Niquet le Jeune.

1792, LA PREMIÈRE RÉPUBLIQUE

Le 10 août 1792, le peuple attaqua les Tuileries, résidence du roi, car celui-ci n'organisait pas la défense de la France menacée par les armées autrichienne et prussienne.
Le roi et sa famille se réfugièrent à l'Assemblée.
Le peuple révolutionnaire de Paris, les sans-culottes (car ils portaient le pantalon alors que le clergé portait la robe et les nobles la « culotte »), imposa la République, c'est-à-dire un régime politique sans roi.

L'exécution du roi, le 21 janvier 1793, divisa profondément le pays et rassembla l'Europe des princes contre la France.
Devant l'immense danger, le gouvernement décida la « levée en masse » des hommes pour le combat.
À l'ouest de la France, les paysans mécontents de la Révolution, et surtout de certaines mesures contre les prêtres auxquels ils étaient attachés, refusèrent de partir. Ce fut le début de la guerre civile.

La prise des Tuileries.
Le 10 août 1792, le roi et la reine se réfugient à l'Assemblée (au fond derrière la grille). Dessin d'époque.

L'exécution du roi.

Portrait de Robespierre.

➢ **Robespierre** estimait que le gouvernement devait être révolutionnaire jusqu'à la paix.
Après seulement, la République pourrait devenir démocratique.
Pour sauver la Révolution, Robespierre organisa la Terreur et imposa la dictature.

Le premier

Question :
« Quels sont les devoirs des chrétiens envers les princes qui les gouvernent, et quels sont, en particulier, nos devoirs envers Napoléon Ier notre empereur ? »

Réponse :
« L'amour, le respect, l'obéissance, la fidélité, le service militaire, les tributs[1] ordonnés pour la conservation et la défense de l'Empire et de son trône ; nous lui devons encore des prières ferventes pour son salut [...] ».

Extraits du *Catéchisme à l'usage de toutes les Églises de l'Empire français*, 1806.

Le sacre de l'Empereur le 2 décembre 1804.
Tableau de David. Cette représentation de l'événement plut à l'Empereur qui dit au peintre David : « le moment est bien choisi ».

Empire

LEÇON 10

Douze ans après la suppression de la monarchie en France, Napoléon Bonaparte était sacré empereur, en présence du pape. Après les combats de la Révolution pour la liberté individuelle et la Déclaration des droits de l'homme, la France retrouvait un pouvoir autoritaire et héréditaire. Napoléon, pourtant, était bien le continuateur de la Révolution.

Observe ce tableau.

1. Situe les personnages principaux : le pape, l'empereur Napoléon, l'impératrice Joséphine. Que fait chacun de ces personnages ?

2. Quel est le titre du tableau de David ? La scène représente-t-elle précisément le sacre de Napoléon ?

3. Que tiennent les deux personnages de dos, à droite ? À qui appartiennent ces objets ? Compare la scène au sacre des rois de France au Moyen Âge (voir page 41). Quelle est la différence essentielle ?

Lis le texte.

4. Qu'est-ce qu'un catéchisme ? Quels sont les devoirs des Français envers leur empereur ?

(1) les impôts

Le premier Empire

Fidèle serviteur de la Révolution, le général Bonaparte continua les guerres de la Révolution. Très populaire après ses campagnes d'Italie et d'Égypte, il s'empara du pouvoir par un coup d'État et devint empereur des Français. Il imposa son pouvoir personnel, mais il modernisa la société française. À l'extérieur, il entreprit la conquête de l'Europe, jusqu'à sa chute en 1815.

Napoléon, le continuateur de la Révolution

Napoléon Bonaparte, officier de la Révolution, était très populaire. Il avait remporté plusieurs victoires en Italie contre l'Autriche, puis en Égypte contre l'Angleterre.
Napoléon avait beaucoup d'appuis parmi ceux qui souhaitaient en finir avec les désordres politiques. La Révolution était terminée, mais la France n'avait pas de gouvernement stable.
En 1799, Bonaparte s'empara du pouvoir par un coup d'État. En 1804, il se fit nommer empereur des Français et se couronna lui-même, en présence du pape.
Napoléon gouvernait seul.
Les fonctionnaires lui devaient une obéissance totale. La liberté de la presse fut supprimée. Dans chaque département, il nomma un préfet qui représentait l'État. Il fit rédiger le Code civil. Il créa le cadastre qui fixait la limite des propriétés. Il créa enfin la Banque de France et une monnaie solide, le franc.

La Sagesse dicte et Bonaparte rédige les traités devant toutes les nations réunies. Une gravure allégorique de 1802.

1805-1812, Napoléon domine l'Europe

L'Angleterre, première puissance commerciale d'Europe et pays le plus riche, ne pouvait accepter la domination de la France en Europe. Elle organisa la coalition des royaumes européens contre Napoléon. La guerre reprit.
Après plusieurs victoires, à Austerlitz en 1805 contre les Autrichiens et les Russes, puis à Iéna en 1806 contre les Prussiens, Napoléon dominait l'Europe. De Rome à Hambourg, la France comptait 130 départements. Napoléon plaça des membres de sa famille à la tête des États. Partout les lois françaises devaient s'appliquer.

1812-1815, le réveil des peuples d'Europe et la chute de Napoléon

Les réformes étaient parfois bien accueillies en Europe, mais l'Empereur se comportait en souverain absolu. Bientôt, comme en Espagne, les peuples dominés se révoltèrent.
En 1812, Napoléon voulut soumettre le tsar de Russie. À la tête d'une armée de 750 000 hommes, il avança dans l'immensité de la plaine russe. Moscou fut atteinte, mais la « Grande armée », prise au piège de l'hiver, perdit près de 500 000 hommes au cours de sa retraite.
Cet échec fut le signal du soulèvement de l'Europe. La France envahie, Napoléon dut abdiquer et fut exilé sur l'Ile d'Elbe. En 1815, Napoléon, de retour en France, livra sa dernière bataille à Waterloo contre ses ennemis regroupés autour de la puissante Angleterre.
La France vaincue, l'empereur fut à nouveau exilé, à Sainte-Hélène. La monarchie fut restaurée. Le roi Louis XVIII, frère de Louis XVI, retrouva son trône. Mais les rois ne pouvaient ignorer désormais les idées de la Révolution qui allaient transformer l'Europe tout au long du XIXe siècle.

Notions

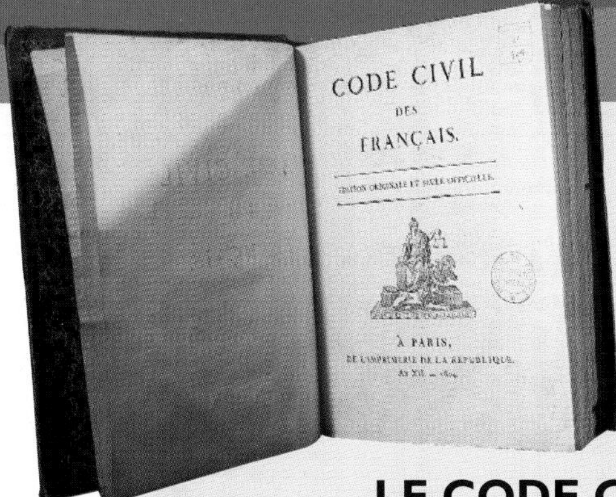

Le Code civil des Français ou Code Napoléon. L'édition de 1804.

- **Un coup d'État**
  C'est lorsque le gouvernement légal est renversé par la force.

- **Le Code civil**
  C'est le recueil des lois qui organisent la vie de la population.

- **Le cadastre**
  C'est le registre de toutes les propriétés d'une commune, plans et descriptions. On peut le consulter à la mairie. La Révolution avait confisqué et revendu les terres de la noblesse et du clergé. Le cadastre fut créé pour fixer les limites des nouvelles propriétés.

El tres de Mayo. Un tableau de Goya.
Le 3 mai 1808, les armées de Napoléon réprimèrent la révolte du peuple espagnol qui refusait la présence française.

LE CODE CIVIL

Le Code civil est un recueil unique des lois applicables dans toute la France. Il rassemble des lois très anciennes (coutumes, ordonnances des rois...) et des lois issues de la Révolution.

Des extraits du Code civil

Des articles qui ont été modifiés

Art. 213 - Le mari doit protection à sa femme, la femme obéissance à son mari.

Art. 371 - L'enfant, à tout âge, doit honneur et respect à ses père et mère.

Art. 373 - Il reste sous leur autorité jusqu'à sa majorité ou son émancipation.

Art. 374 - L'enfant ne peut quitter la maison paternelle sans la permission de son père, si ce n'est pour enrôlement volontaire, après l'âge de dix-huit ans révolus.

Art. 375 - Le père qui aura des sujets de mécontentement très graves sur la conduite d'un enfant, aura les moyens de correction suivants.

Art. 376 - Si l'enfant est âgé de moins de seize ans commencés, le père pourra le faire détenir pendant un temps qui ne pourra excéder un mois [...].

Un article encore en vigueur

Art. 544 - La propriété est le droit de jouir et de disposer des biens de la manière la plus absolue [...].

« Ma gloire n'est pas d'avoir gagné quarante batailles. Waterloo effacera le souvenir de tant de victoires : ce qu'on n'effacera pas, c'est mon Code civil. »
Napoléon

Napoléon Bonaparte, le stratège

La bataille d'Austerlitz.

L'Empereur sur son cheval observe ses troupes escaladant le plateau de Pratzen abandonné par les Russes.
La bataille d'Austerlitz, le 2 décembre 1805, affirma la supériorité du stratège Napoléon.

Trafalgar.

Le 21 octobre 1805, la flotte française, commandée par l'amiral Villeneuve, fut anéantie à Trafalgar par la flotte anglaise, commandée par l'amiral Nelson. L'Empereur était maître sur le continent, l'Angleterre était maîtresse des mers.

La chanson du conscrit

Je suis un pauvre conscrit
De l'an mille huit cent dix
Faut quitter le Languedoc
Avec le sac sur le dos !

Le maire et aussi le préfet
N'en sont deux jolis cadets :
Ils nous font tirer au sort
Pour nous conduire à la mort.

Adieu donc, mes chers parents
N'oubliez pas votre enfant
Écrivez-lui de temps en temps,
Pour lui envoyer de l'argent.

Adieu donc, mon tendre cœur
Vous consolerez ma sœur,
Vous lui direz que Fanfan
Il est mort en combattant.

➢ La loi autorisait la levée des soldats de 20 à 25 ans. Au début, l'Empereur n'avait pas besoin de tous les jeunes hommes : on tirait au sort.

Le passage de la Bérézina, le 26-29 novembre 1812.

À l'époque de la campagne de Russie, en 1812, la Grande Armée (750 000 hommes) comprenait des soldats levés dans toute l'Europe occupée. « L'armée des vingt nations » atteignit Moscou le 14 septembre. Elle arriva dans une ville incendiée. Apparemment vaincu, le Tsar de Russie n'implora pas la paix. L'hiver russe approchait et Napoléon donna trop tard l'ordre de la retraite. Les Français pensaient traverser la Bérézina sur la glace, mais un dégel soudain les en empêcha. Il fallut construire des ponts… dans des conditions désastreuses !

NAPOLÉON BONAPARTE, LE RÉFORMATEUR

De nombreuses réformes de l'époque napoléonienne subsistent dans la France d'aujourd'hui. Bien sûr, elles ont été modifiées depuis ce temps, mais leur nom reste.

Le franc germinal

Au cours de la Révolution, il fut impossible de créer une monnaie à la valeur stable et qui inspirait confiance. Le franc germinal[1], créé le 7 avril 1803, durera jusqu'en 1926.

[1] Cette monnaie fut créée le 17 germinal de l'an XI, selon le calendrier qu'avait imposé la Révolution (dont le point de départ était le 22 septembre 1792, premier jour de la République).

Les lycées

Napoléon, comme les révolutionnaires, pensait que l'État devait s'occuper de l'instruction. Pour cela, il créa en 1802 les lycées où devaient être formés les enfants de la bourgeoisie afin d'en faire de bons serviteurs de l'État et de l'Empereur.

Passé douze ans, les élèves apprennent l'exercice militaire sous la direction d'un adjudant. Les élèves sont divisés en compagnies de 25 ; chaque compagnie a un sergent et quatre caporaux choisis parmi les meilleurs sujets.
Les punitions consistent en prison, table de pénitence et arrêts. L'élève mis aux arrêts est consigné dans un coin de la cour pendant les récréations. Chaque lycée aura une bibliothèque de mille cinq cents volumes. Le catalogue de ces bibliothèques sera identique partout. Aucun livre nouveau ne devra être introduit sans l'autorisation du ministre de l'Intérieur.

Reichart (1752-1814),
Un hiver à Paris sous le Consulat.

Un élève du lycée impérial Louis-Le-Grand à Paris vers 1805.

Un préfet de l'Empire.

Le préfet, représentant de l'État dans le département

Présent dans chaque département, le préfet doit faire appliquer les lois et faire respecter l'ordre.
Il doit aussi informer l'Empereur du comportement des populations.
Il est secondé par des sous-préfets nommés à la tête de chaque arrondissement du département.

La Légion d'honneur

La Légion d'honneur récompense les meilleurs serviteurs de l'État, qu'ils soient militaires ou civils. Cette décoration remplace toutes les distinctions qui existaient pour la noblesse avant la Révolution.

La première remise de la Légion d'honneur aux Invalides à Paris, le 14 juillet 1804.

Étudier un texte

Un extrait de cahier de doléances de 1789

La source principale des historiens pour écrire l'histoire est l'étude des textes écrits à l'époque étudiée.

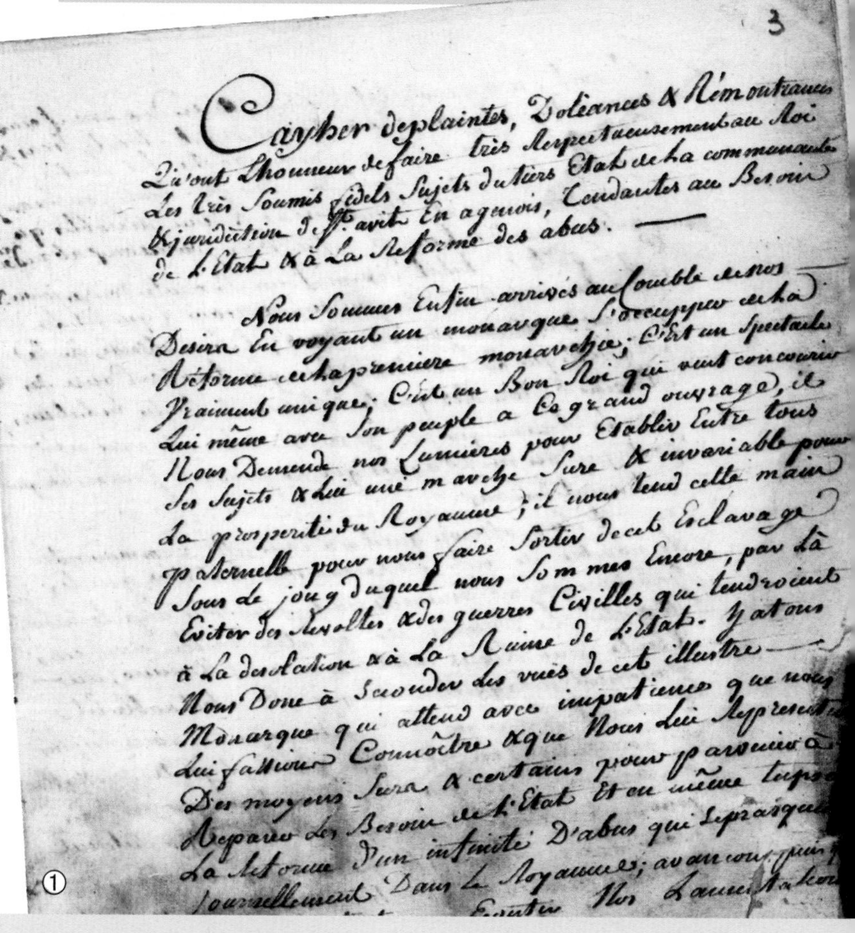
3

Cayher de plaintes, Doléances & Remontrances
Qu'ont l'honneur de faire très Respectueusement au Roi
Les très soumis fidels Sujets du tiers Etat de la communauté
& juridiction de St avit en agenois, tendantes au Besoin
de l'Etat & à la Reforme des abus.

1

Une lecture difficile

« Cayher des plaintes, doléances et remontrances qu'ont l'honneur de faire très respectueusement au Roi les très soumis fidèles sujets du tiers État de la communauté et juridiction de Saint-Avit en Agenois, tendantes au besoin de l'État et à la réforme des abus. »

- Retrouve ce passage sur la photographie du texte original.
- Quelles sont les personnes qui s'expriment ? À qui s'adressent-elles ?
- Essaie de déchiffrer la suite du texte. Tu n'y arriveras pas complètement, mais tu vas reconnaître certains mots et en deviner d'autres... C'est ce qui arrive aussi aux historiens !
- Est-ce que les auteurs du texte sont respectueux envers le roi ?

D'autres extraits du cahier

Article 2. Il sera observé que, outre les impôts mentionnés en l'article ci-dessus ([1]), le Seigneur du lieu retire encore une rente considérable qui est un picotin par journal([2]) de froment, avoine autant, un sou en argent et chaque maison ou famille paye encore de la volaille.[...] il est payé au Seigneur une infinité de journées ([3]).

Article 3. Il sera observé à Sa Majesté qu'outre les impôts mentionnés aux articles précédents, il est encore payé un dixième ([4]) au curé.

Article 5. Il sera observé au Roi qu'on ne peut comprendre la raison qui a pu occasionner la diversité des poids et mesures qui se pratique dans le royaume ; on pense que l'uniformité serait plus utile [...] les individus connaîtraient ce qu'ils achèteraient et ce qu'ils vendraient.

Article 6. Il sera observé à Sa Majesté qu'il n'est pas possible de faire le transport des denrées dans les marchés ou foires voisines pour la raison que les chemins sont tout à fait impraticables ; il sera supplié de vouloir ordonner le rétablissement de ces chemins pour qu'il soit possible d'y voiturer.

historique

① *Page d'un cahier de doléances, Archives départementales du Lot-et-Garonne.*

② *Le tiers état écrasé par les impôts, tailles et corvées. Gravure de 1789. « Le temps passé, les plus utiles étaient foulés aux pieds ».*

③ *Portrait du roi Louis XVI, d'après Duplessis.*

Article 7. Sa Majesté sera suppliée d'observer que le Clergé et la Noblesse jouissent de revenus immenses, avec honneurs et privilèges sans bornes [...] Nous ne sommes pas jaloux de leur grandeur et privilèges, mais nous sommes jaloux qu'ils ne payent pas le quart des impôts qu'ils devraient payer.

à Saint-Avit, le 9 mars 1789.

(¹) impôts payés au roi.

(²) picotin : unité de mesure de capacité ; journal : unité de mesure des surfaces.

(³) journées de corvée, travail gratuit pour le seigneur.

(⁴) un dixième de la récolte.

Une gravure de 1789

- Les personnages de la gravure (②) représentent les trois ordres de la société de l'Ancien Régime. Quel est celui qui est écrasé? Quels sont ceux qui l'écrasent ?

- Lis attentivement les extraits du cahier. Trouve un titre pour chacun des articles. Lesquels se rapportent à la gravure ?

Étudier un texte historique, c'est :

- le dater ;
- identifier l'auteur ;
- identifier le destinataire ;
- identifier le lieu de conservation ;
- identifier la nature du document ;
- y relever des informations ;
- le comparer à d'autres documents.

Vers de nouveaux mondes

De nos jours, les habitants de la province du Québec, au Canada, parlent la langue française. C'est qu'au XVIe siècle, des navigateurs français découvrirent ces terres et des colons s'y installèrent.

Jacques Cartier, le découvreur du Canada

Jacques Cartier
Portrait par P. Gaudon, en 1934.

Né à Saint-Malo en 1491, Jacques Cartier passa une grande partie de sa jeunesse sur les ponts des navires qui partaient pêcher la morue au large de l'île de Terre-Neuve. Il appris son métier de navigateur à la rude école de la mer.

Le roi de France, François Ier, fit confiance à son expérience et lui confia l'expédition qui devait trouver un passage vers Cathay (la Chine) au-delà de Terre-Neuve et surtout ramener de l'or du Nouveau Monde qui, depuis la découverte de Christophe Colomb, faisait rêver les Européens. Jacques Cartier effectua trois expéditions.
Il mourut en 1557 n'ayant trouvé ni passage vers Cathay ni or.

- Quel roi de France ordonna l'expédition de Jacques Cartier ?
- Quels étaient les deux objectifs de l'expédition ?
- Situe Saint-Malo sur une carte de France.
- De quelle époque date le portrait de Jacques Cartier ? Quels sont les instruments nécessaires à la navigation représentés par le peintre ?

L'aventure

Après avoir fait leur testament et entendu la messe, les explorateurs hissent les voiles le 20 avril 1534. Le *«bon vent»*, d'après les chroniques, les porte en vingt jours à Terre-Neuve et le 27 mai ils atteignent le détroit des Châteaux[1]. Le mauvais temps, *«un grand nombre de glaces»* retardent alors l'avance de la flotte. La première semaine de juin, Cartier entre dans la Grande Baie et dans l'inconnu.

Philippe Jacquin, 1984.
(1) passage entre Terre-Neuve et le Labrador.

- De quand date ce texte ? Pourquoi certains passages sont écrits en italique et entre guillemets ?
- Qu'est-ce qui montre que l'expédition était risquée ?
- D'où partit l'expédition ? Où arriva-t-elle ? Observe ce trajet sur un atlas.

Le débarquement de Jacques Cartier et des colons français au Canada, en 1542
Carte de Vallard, de 1546.

- Décris les différentes catégories de personnes.
- Décris l'armement des soldats.
- Comment sont habillés les Indiens ? Décris leur armement.
- Décris la place fortifiée. Les Indiens ont-ils l'air agressifs ?

L'exploration du Canada

Chilaga devient Montréal

Nous nommâmes la montagne le mont Royal (Montréal). La ville est toute ronde, close de bois ; à l'intérieur se trouvent cinquante maisons longues d'environ cinquante pas, ou plus, toutes faites de bois, couvertes et garnies de grandes écorces. Dans les maisons, il y a une grande place par terre où ils font leur feu et vivent en communauté puis se retirent en leurs chambres, les hommes avec leurs enfants et leurs femmes.

Chronique du second voyage de Jacques Cartier, 1535.

- Cherche Chilaga sur la carte ci-dessous, à l'extrémité ouest de l'estuaire du Saint-Laurent. Cherche également Montréal sur un atlas.
- Quel était le matériau utilisé pour la construction des maisons ?

Jacques Cartier remontant le Saint-Laurent, en 1535
un tableau signé en 1847

- Combien de siècles séparent ce tableau des événements représentés ?
- Décris les rives du fleuve. Pourquoi l'expédition poursuit-elle sa route sur une barque ?
- Observe le cours du fleuve Saint-Laurent sur un atlas et sur le planisphère de Jacques de Vaulx (ci-dessous). Quelles remarques peux-tu faire ?
- Compare la représentation des indiens sur ce tableau et sur la carte de Vallard de 1546. Laquelle doit être la plus fidèle ? Pourquoi ?

Nouvelles terres, nouvelles cartes

Le monde atlantique, extrait du planisphère de Jacques de Vaulx

Les Premières œuvres de Jacques de Vaulx, pilote de la Marine, manuscrit de 1583 dédié à l'amiral de Joyeuse.

- En quelle année a été tracée cette carte ?
- Compare le dessin des côtes avec une carte actuelle.
- Retrouve la baie de « Sein Laurens ».
- Essaie de lire d'autres noms donnés par les navigateurs français.
- À quelle région actuelle du Canada correspond la « Nouvelle France » ?

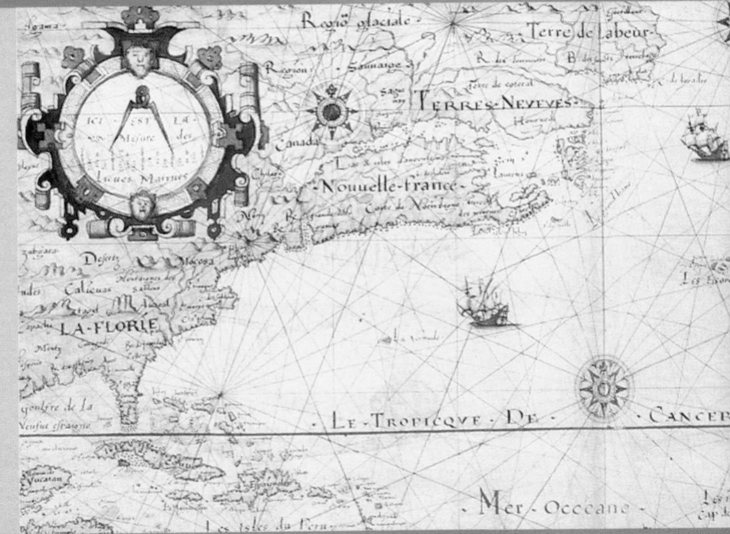

Les grandes découvertes

Vers de nouvelles connaissances

Au XVIe siècle, le goût du savoir scientifique se développa en Europe. Découvertes et inventions nouvelles bouleversèrent peu à peu les façons de penser et d'agir. C'est ce mouvement que l'on appela la Renaissance.

Le goût du savoir scientifique

Le géographe au travail

- Le géographe contrôle une boussole posée devant lui.

Quel instrument utilise-t-il ?
Quels autres objets reconnais-tu sur son bureau ?

- Ce savant était intéressé par la navigation : quels autres éléments nous permettent de le penser ?
- Qu'aperçoit-on par la fenêtre ?
- Quel est le meuble à l'arrière-plan, à droite ?

La soif d'apprendre

Lettre de Gargantua à son fils Pantagruel :

Je veux que tu apprennes parfaitement les langues. La grecque, la latine et l'hébraïque [...]. Et quant à la connaissance de la nature, je veux qu'il n'y ait mer, rivière ni fontaine dont tu ne connaisses les poissons ; tous les oiseaux, tous les arbres et arbustes, toutes les herbes, que rien ne te soit inconnu. Puis, soigneusement, revisite les livres des médecins grecs, arabes et latins et, par de fréquentes anatomies[1], acquiers une parfaite connaissance de l'autre monde qui est l'homme.

Rabelais, *Pantagruel*, chap.VIII, 1532

(1) étude du corps humain

- Établis la liste des matières que Rabelais veut faire apprendre à son jeune héros Pantagruel.

L'imprimerie permet la multiplication des livres

Un atelier d'imprimerie à l'époque de Gutenberg

- Cherche dans un dictionnaire des renseignements sur Gutenberg.

Quelle a été son invention ?

- Combien de personnes sont employées dans cet atelier ?

Compare-les (leur âge, leur costume).

- Décris, dans l'ordre où elles sont réalisées, les différentes étapes du travail.

La découverte du système solaire

La représentation du système solaire par Ptolémée

Chronique de Nüremberg, 1493.

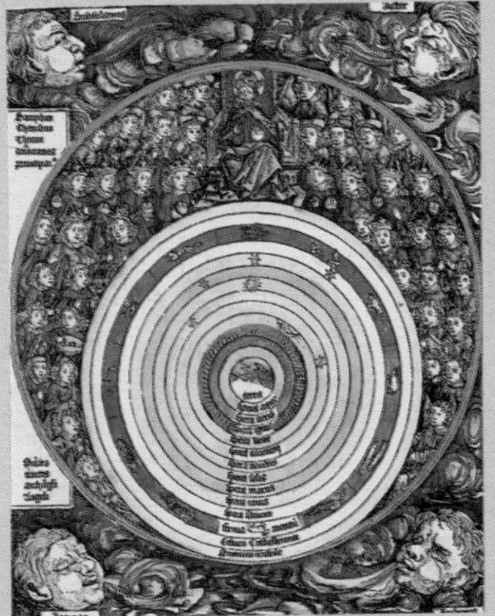

Ptolémée était un savant grec qui vécut au IIe siècle après J.-C.

- Qu'est-ce qui est au centre ? Où se trouve le Soleil ?
- En quelle année a été réalisé ce dessin ? Depuis combien de siècles Ptolémée était-il mort ? Pendant combien de temps a-t-on cru que la Terre était au centre du monde ?

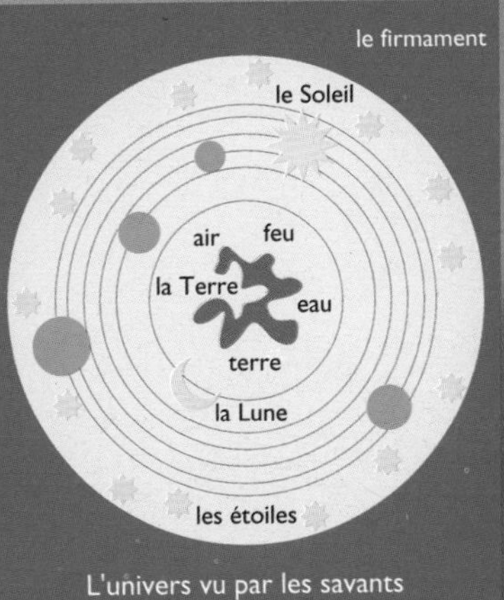

L'univers vu par les savants de l'Antiquité.

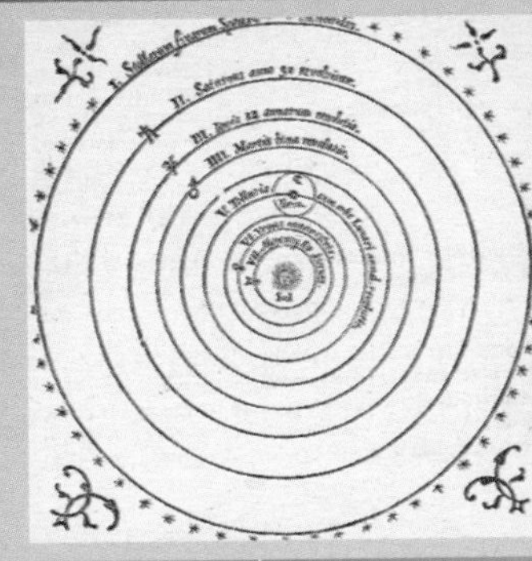

Le monde selon Copernic

Atlas Blaeu, Amsterdam, 1647.

- Où se trouve le Soleil ? la Terre ?
- Compare cette représentation à une représentation actuelle du système solaire. Quelle remarque peux-tu faire à propos de la situation des planètes ?

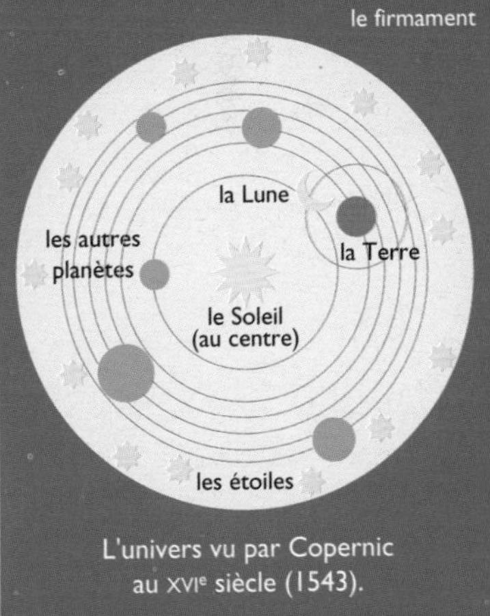

L'univers vu par Copernic au XVIe siècle (1543).

Après de longues recherches, je me suis enfin convaincu :
- que le Soleil est une étoile fixe, entourée de planètes qui tournent autour d'elle et dont elle est le centre et le flambeau ;
- que la Terre est une planète principale, assujettie à un triple mouvement ;
- que tous les phénomènes des mouvements diurnes[1], le retour périodique des saisons, sont les résultats de la rotation de la Terre autour de son axe et de son mouvement autour du Soleil.

Nicolas Copernic, *Des révolutions des sphères célestes*, 1543

(1) l'alternance du jour et de la nuit.

- Cherche sur un dictionnaire des renseignements sur la vie de Copernic.
- En quelle année a-t-il publié ce texte ?
- Pourquoi dit-on aujourd'hui que les découvertes de Copernic ont été une révolution scientifique ?

Observe la carte 4 au début de ton livre. Résume en quelques lignes les grandes expéditions maritimes de la Renaissance.

Rédige une courte biographie de Gutenberg et de Copernic.

Insiste sur l'importance que les grandes découvertes ont eue dans l'histoire de l'humanité.

1
1589
2
Mai
1610
3
Marguerite de Valoys
Royne de Nauarre

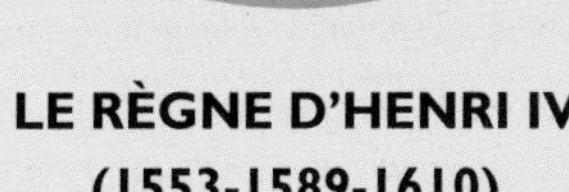

LE RÈGNE D'HENRI IV (1553-1589-1610)

1. Que sais-tu sur Henri IV (retrouve des informations dans la leçon sur la Renaissance) ? Que dut-il faire pour monter sur le trône de France et entrer dans Paris, sa capitale ?

2. Fais des recherches sur Sully (doc. 1) et sur Marguerite de Valois (la Reine Margot) (doc. 3).

3. Que veut montrer cette image de la France au temps d'Henri IV (doc. 2) ?

4. Essaie de faire un récit chronologique de la vie d'Henri IV en utilisant ces documents.

1610

La révolution

À ce moment, on entrait dans Saint-Étienne et on y voyait de grandes rues bordées de maisons, mais tout était noirci par la fumée des usines, la terre elle-même était noire de charbon de terre, et quand le vent venait à souffler, il soulevait des tourbillons de poussière noire. Quand on arriva, le travail venait de cesser à la Manufacture. Alors, à un signal donné, on vit tous les ouvriers sortir à la fois. Julien les regardait passer avec surprise en se demandant comment on pouvait occuper tant de travailleurs.

G. Bruno, *Le Tour de France par deux enfants,* 1892.

Le marteau-pilon à vapeur (1842).
Un tableau de James Nasmyth (1808-1890).
Le marteau-pilon est une machine qui illustre bien les changements de la révolution industrielle. Pour relever la masse du marteau, il fallait toute la puissance des machines à vapeur. L'énergie du charbon transformée en force motrice par la machine à vapeur est à l'origine de la grande industrie.

industrielle

LEÇON 11

Au XIXe siècle, la machine, grâce à l'énergie nouvelle du charbon, permit le développement de la grande industrie. Les usines se multiplièrent, des villes industrielles naquirent, les campagnes se transformèrent. Ainsi, ce que l'on appelle la Révolution industrielle modifia profondément la vie et le travail des hommes.

Observe cette image.

1. Peux-tu dire à quoi sert un marteau-pilon ? Pourquoi cette machine nécessite-t-elle la force d'une machine à vapeur ?
2. Quelles sont les conditions de travail des ouvriers dans cette usine ?
3. Comment l'artiste donne-t-il une impression de gigantisme ?

Lis le texte.

4. Situe Saint-Étienne sur une carte de France. Qu'est-ce qu'une manufacture ?
5. Quelles sont les conditions de vie dans les quartiers que découvre Julien ? Pourquoi ?
6. À partir du texte et de l'image, que peux-tu dire sur la « révolution industrielle » ?

La révolution industrielle

Le charbon fut l'énergie de la révolution industrielle. La force mécanique des machines à vapeur bouleversa les conditions de travail. La grande industrie fit son apparition. Au début de la révolution industrielle, les ouvriers travaillaient sans protection ni limitation. Peu à peu, des lois limitèrent la durée du travail. À la fin du siècle, les découvertes scientifiques fondamentales annoncèrent de nouveaux changements pour le XXe siècle.

Le charbon, l'énergie de la révolution industrielle

La mise au point en 1782 par l'Anglais James Watt d'une machine à vapeur efficace permit de développer l'utilisation de l'énergie du charbon. La première locomotive de Stephenson roulait à 7 km/h. Mais dès 1852 les trains roulaient à 52 km/h de moyenne, entre Paris et Calais. Sur mer, les navires à vapeur, plus rapides depuis l'invention de l'hélice en 1832, remplaçaient les voiliers. Ils rendaient la navigation plus régulière et plus rapide. Le percement du canal de Suez en 1869 permit d'éviter le long contournement de l'Afrique pour atteindre l'Inde.
Dans les usines, la force motrice de la vapeur transformait le travail : les machines à filer et à tisser mécaniques remplaçaient le rouet et le métier à tisser.
Dans les campagnes cependant, les premières machines à battre utilisant la force de la vapeur n'apparurent que vers 1900.
Dès 1887, l'ingénieur allemand Daimler mit au point le moteur à explosion et, déjà, s'annonçaient le XXe siècle et l'ère de l'automobile.
L'électricité apparut également à cette époque.

Du matériel agricole, en 1889.

De l'artisan à l'ouvrier d'usine

La grande industrie pouvait produire des quantités toujours plus grandes de rails, de tôles, de poutrelles, de tissus de coton... Les artisans ne purent résister à la concurrence de ces usines modernes qui produisaient bien moins cher qu'eux des produits de meilleure qualité. Des milliers de travailleurs indépendants devinrent ouvriers. Quittant leur village, leur forge ou leur atelier de tisserands, avec tous ceux que l'exode rural chassait des campagnes, ils devaient travailler dans des conditions très dures. Des villes se développèrent près des mines de charbon. Des cités ouvrières se construisirent autour des grandes usines ; un nouveau paysage urbain apparut dans la région du Nord, en Lorraine, au Creusot, à Saint-Étienne.
Peu à peu, les ouvriers se groupèrent en syndicats pour défendre leurs intérêts : amélioration des conditions de travail, augmentation des salaires... En France, ils obtinrent le droit de grève en 1864 et le droit de constituer des syndicats en 1884. Peu à peu, des lois améliorèrent leur situation.

Le triomphe de l'ingénieur et du savant

Au cours des années 1890-1910, une série de découvertes scientifiques annonça des bouleversements dans les communications, la médecine, les sciences. La bicyclette, l'automobile, l'avion furent mis au point. La première course automobile eut lieu en 1894. Clément Ader effectua son premier vol en 1890. Les découvertes de Pasteur permirent une médecine enfin efficace. Les travaux de Pierre et Marie Curie et ceux d'Einstein entraînèrent le monde dans l'ère atomique.
Les progrès techniques et scientifiques commencèrent à profiter aux hommes.
Ils permirent également la conception d'armes plus meurtrières, comme le monde allait le découvrir en 1914.

Notions

- **Un artisan**
  C'est un travailleur qui est propriétaire des machines qu'il utilise. Il n'est pas sous l'autorité d'un patron.

- **Un syndicat**
  C'est une association de personnes d'une même profession qui se groupent pour défendre leurs intérêts.

- **L'exode rural**
  C'est l'émigration vers les villes des habitants des campagnes à la recherche de travail.

Le train du dimanche, 1885.

LA TOUR EIFFEL

La construction de la tour Eiffel fut décidée à l'occasion de l'Exposition Universelle de Paris en 1889. C'était aussi le centenaire de la Révolution française. Gigantesque assemblage de pièces préfabriquées en usine, la tour devait montrer au monde le savoir-faire des ingénieurs français. Elle reçut 2 millions de visiteurs pendant les 173 jours que dura l'exposition. Naturellement, comme pour toute création nouvelle, elle déchaîna les critiques. Prévue pour être démontée après l'exposition, la tour Eiffel est encore aujourd'hui le symbole de Paris.

Le chantier de la tour Eiffel.

Elle sera la preuve éclatante des progrès réalisés en ce siècle par l'art des ingénieurs. C'est seulement à notre époque, en ces dernières années, que l'on pouvait dresser des calculs assez sûrs et travailler le fer avec assez de précision pour songer à une aussi gigantesque entreprise. N'est-ce rien pour la gloire de Paris que ce résumé de la science contemporaine soit érigé dans ses murs ? [...]
N'eut-elle d'autres raisons d'être que de montrer que nous ne sommes pas simplement le pays des amuseurs mais aussi celui des ingénieurs et des constructeurs que l'on appelle de toutes les régions du monde pour édifier les ponts, les viaducs, les gares et les grands monuments de l'industrie moderne, la tour Eiffel mériterait d'être traitée avec considération.

Gustave Eiffel, en 1887.

Pasteur

Les débuts de la biologie et de la médecine modernes

Louis Pasteur (1822 - 1895)

1822 : Naissance de Louis Pasteur.

vers 1860 : Pasteur affirme que les maladies infectieuses sont dues à des « microbes ».

1879 : Pasteur découvre le principe de la vaccination par l'injection d'un microbe rendu inoffensif.

1885 : Première vaccination contre la rage du jeune Joseph Meister.

1888 : Création de l'Institut Pasteur (vaccination, recherche, enseignement).

1895 : Mort de Pasteur.

Pasteur découvre l'action des microbes dans le développement des infections. Il recommande l'asepsie et la « pasteurisation ».

Louis Pasteur dans son laboratoire en 1885.

« Si j'avais l'honneur d'être chirurgien, pénétré comme je le suis des dangers auxquels exposent les germes des microbes répandus à la surface des objets [...] je n'emploierais que des bandelettes, des éponges préalablement exposées à un air porté à la température de 130 à 150 °C. Je ne me servirais que d'instruments d'une propreté parfaite.
Je n'emploierais jamais qu'une eau qui aurait subi la température de 110 à 120 °C. »

Les premières vaccinations modernes

Prenons quarante poules. Inoculons-en vingt avec le virus très virulent ; les vingt poules mourront. Inoculons les vingt autres avec le virus atténué ; toutes seront malades mais ne mourront pas. Laissons-les se guérir et revenons ensuite pour ces vingt poules à l'inoculation du virus très infectieux. Cette fois il ne les tuera pas.

Communication de Pasteur à l'Académie des sciences, le 9 février 1880.

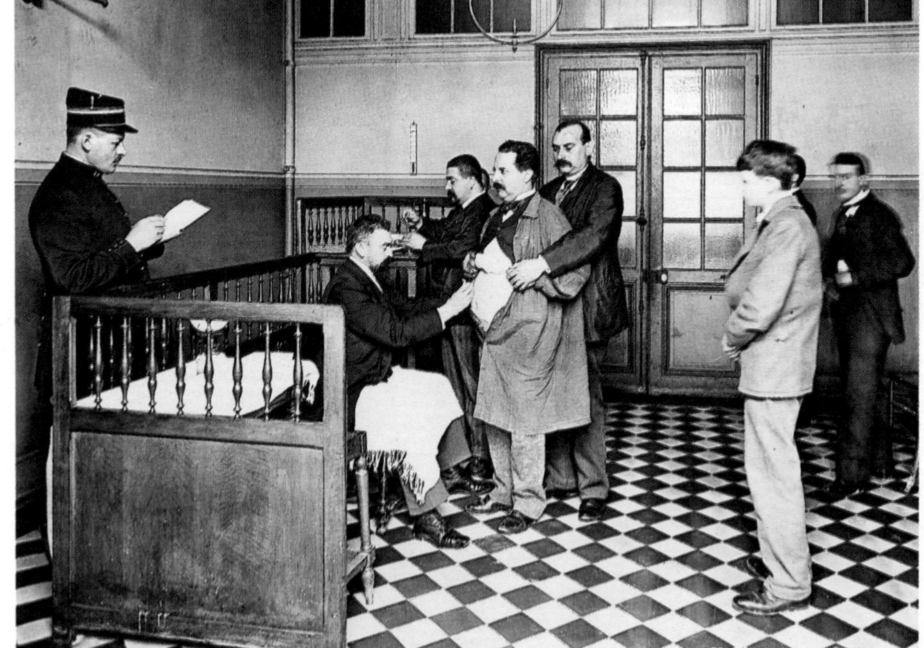

La salle de vaccination antirabique à l'Institut Pasteur.
Après cinq années pendant lesquelles il se contente d'expérimenter sa technique de vaccination sur des animaux, Pasteur vaccine et guérit en 1885 le jeune Joseph Meister atteint de la rage. La vaccination moderne commence à se développer.

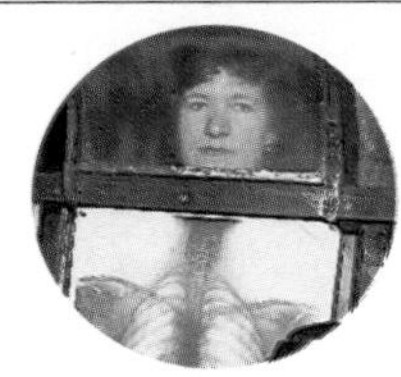

Pierre et Marie Curie

La naisssance de la physique nucléaire

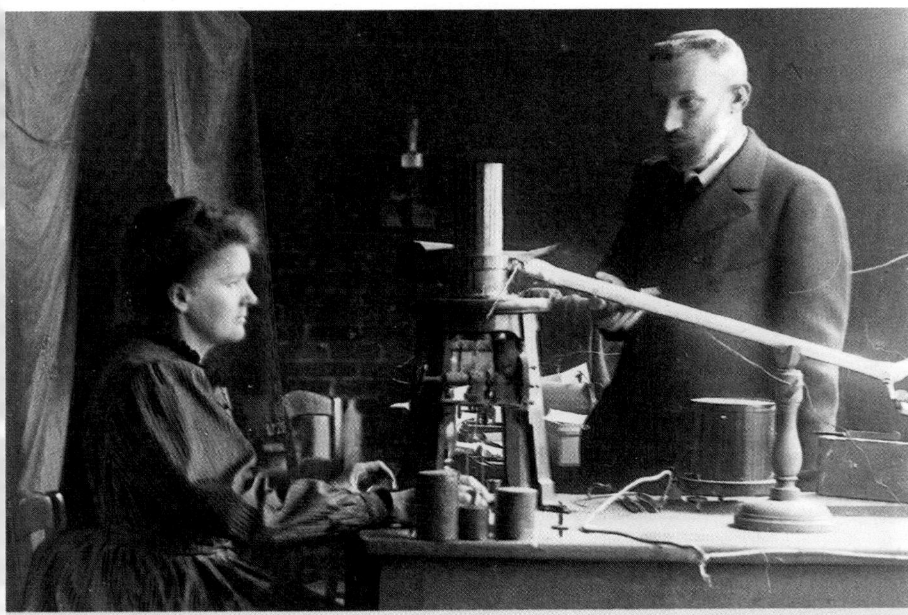

Pierre et Marie Curie dans leur laboratoire.

▲ Prix Nobel de physique en 1903 avec Pierre son époux et Henri Becquerel, Marie Curie commença ses recherches dans un laboratoire rudimentaire. C'est dans ce laboratoire que fut isolé le radium.

CHRONOLOGIE

1895 : Wilhem Conrad Röntgen découvre les rayons X.

1896 : Henri Becquerel découvre le phénomène de la radioactivité de l'uranium : des corps émettent spontanément de l'énergie.

1898 : Pierre et Marie Curie isolent le radium et le polonium, corps beaucoup plus radioactifs que l'uranium.

1903 : Pierre et Marie Curie expliquent le phénomène de la radioactivité de certains atomes. Marie Curie emploie la première le terme de *radioactivité*.

1905 : Einstein démontre que la lumière est composée de corpuscules infiniment petits, les photons.
Il présente des théories qui rendront possible l'exploitation de l'énergie nucléaire.

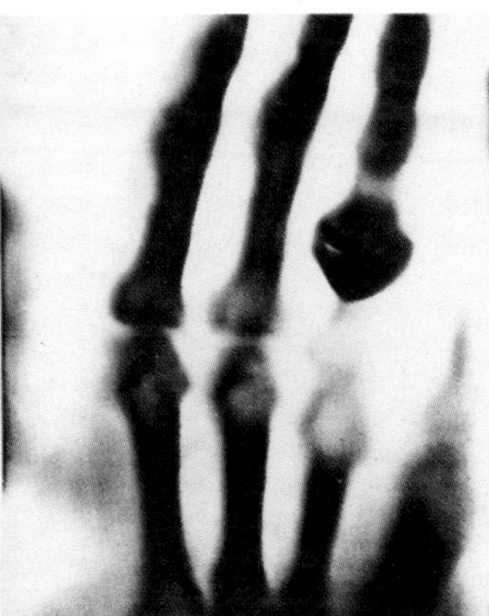

La main de Mme Röntgen. (22.12.1895)

Pour montrer à sa femme la nature de sa découverte, Röntgen lui demande de placer sa main devant le tube qui produit les rayons X. Les os et la bague arrêtent les rayons. Les chairs sont traversées. C'est la première radiographie.

▼ Les rayons découverts par Röntgen trouvent une application immédiate en médecine. On ne connaissait pas encore les risques liés à une exposition trop longue !

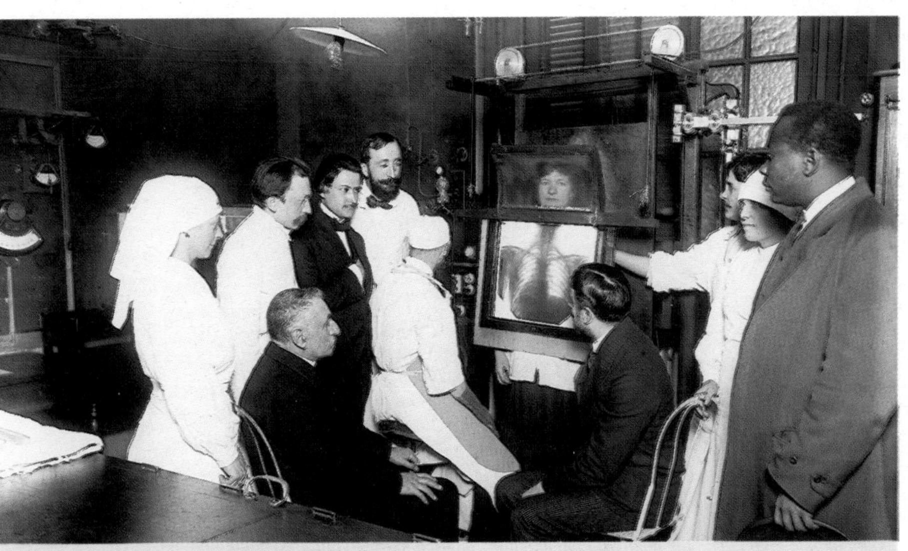

Une séance de radiographie en 1910.

La démocratie

Pour faire un républicain, il faut prendre l'être humain si petit et si humble qu'il soit, un enfant, un adolescent, une jeune fille ; il faut prendre l'homme le plus inculte, le travailleur le plus accablé par l'excès du travail, et lui donner l'idée qu'il faut penser par lui-même, qu'il ne doit ni foi ni obéissance à personne, que c'est à lui de chercher la vérité, et non pas à la recevoir toute faite d'un maître, d'un directeur, d'un chef quel qu'il soit, temporel ou spirituel.

Ferdinand Buisson, Discours au congrès du Parti radical, 1903.

Défilé du bataillon scolaire, place de la République à Paris, le 14 juillet 1883.
Chromo de l'époque.

Depuis 1880, le 14 juillet est la fête nationale française. Cette fête rappelle à la fois la prise de la Bastille le 14 juillet 1789, et la fête de la fédération, le 14 juillet 1790, qui fut la fête du rassemblement de la nation autour des grands principes de la Révolution : Droits de l'homme et de citoyen et abolition des privilèges.

et la République

En 1875, près de cent ans après la Révolution française et le vote de la Déclaration des droits de l'homme et du citoyen, la République s'installe définitivement en France.
La République française est un régime démocratique dans lequel le pouvoir appartient aux représentants du peuple. Les républicains pensaient que tous les citoyens devaient être éduqués pour apprendre à être libres et à choisir par eux-mêmes.

Observe l'image.

1. Dans quelle ville et dans quel lieu se déroule la scène ?

2. Lis l'inscription sur le monument au centre de la place. Peux-tu déchiffrer la date de sa construction ?

3. Observe les différents personnages. Comment l'artiste montre-t-il que la République est le régime de tous les Français ?

Lis le texte.

4. Pour l'auteur, que faut-il « pour faire un bon républicain » ? Quelle est pour toi la phrase la plus importante du texte ?

De 1815 à 1875, la démocratie s'imposa peu à peu en France. Sa première grande victoire fut l'institution du suffrage universel pour les hommes en 1848. Mais ce ne fut qu'à partir de 1875, sous la IIIe République, que la démocratie s'imposa définitivement en France. Les lois républicaines reconnaissaient la liberté de la presse, le droit de se réunir et les droits de l'homme.

La difficile naissance de la démocratie

Après la chute de Napoléon Ier, les rois Louis XVIII puis Charles X revinrent au pouvoir. Ils durent accepter la Déclaration des droits de l'homme et du citoyen et le Code civil. Mais seuls les plus riches avaient le droit de vote et les libertés étaient limitées.
En 1830, une révolution chassa Charles X. Le nouveau roi, Louis-Philippe Ier, accorda le droit de vote à un plus grand nombre de personnes, mais les libertés étaient toujours contrôlées et les ouvriers n'avaient toujours aucun droit.
Les républicains s'opposaient au roi et à la monarchie. En 1848, une nouvelle révolution chassa le dernier roi de France et les républicains accédèrent au pouvoir. Le suffrage universel fut institué : tous les hommes de plus de 21 ans eurent le droit de vote.
Le premier président de la République élu au suffrage universel fut Louis Napoléon Bonaparte, neveu de l'empereur Napoléon Ier. Mais, en 1851, il rétablit l'Empire par un coup d'État, prit le nom de Napoléon III et imposa sa dictature. Tous les opposants furent pourchassés et certains, comme le poète Victor Hugo, prirent le chemin de l'exil.

1875, la IIIe République s'installe

En 1870, la France était en guerre contre la Prusse. Après sa défaite à Sedan, Napoléon III dut abdiquer. La République fut proclamée. Paris fut encerclé par les Prussiens et, après un long siège, le gouvernement capitula.
La nouvelle assemblée élue comprenait une majorité de royalistes. Le gouvernement installé à Versailles voulait négocier la paix avec les Prussiens qui occupaient la France.
Les Parisiens, qui avaient beaucoup souffert pendant le siège, n'acceptaient pas la défaite. Paris se souleva et un gouvernement révolutionnaire fut constitué : la Commune de Paris. Les « communards » combattaient aussi pour une société nouvelle et promettaient de donner la terre aux paysans et les usines aux ouvriers. Le gouvernement envoya l'armée pour reconquérir la capitale. 25 000 « communards » furent fusillés, des milliers furent exilés en Algérie et en Nouvelle-Calédonie.
La paix signée avec la Prusse, la République s'installa. En 1875, la France était une démocratie parlementaire.

Les libertés républicaines et la construction de la démocratie

De 1881 à 1884, des lois garantissant la liberté de la presse, le droit de se réunir, de créer des syndicats furent votées. Dans les communes, les citoyens acquirent le droit d'élire les conseils municipaux et le maire.
Les républicains pensaient que l'instruction devait être développée. L'école devait s'adresser à tous les enfants, quelles que soient les opinions des familles. En 1882, Jules Ferry institua l'école gratuite, laïque et obligatoire.
Mais la République comptait beaucoup d'ennemis. En 1894, le capitaine Dreyfus, appartenant à la communauté juive, fut accusé d'espionnage au profit de l'Allemagne.
On découvrit qu'il était innocent. Mais tous les ennemis de la République refusaient de reconnaître la vérité. Les républicains se groupèrent pour la défense du capitaine Dreyfus et de la démocratie. Avec l'aide de l'écrivain Émile Zola, ils firent triompher la justice et la République fut sauvée.

Notions

• Une démocratie parlementaire

Dans une démocratie parlementaire, les assemblées élues au suffrage universel (le parlement) votent les lois et contrôlent le gouvernement.

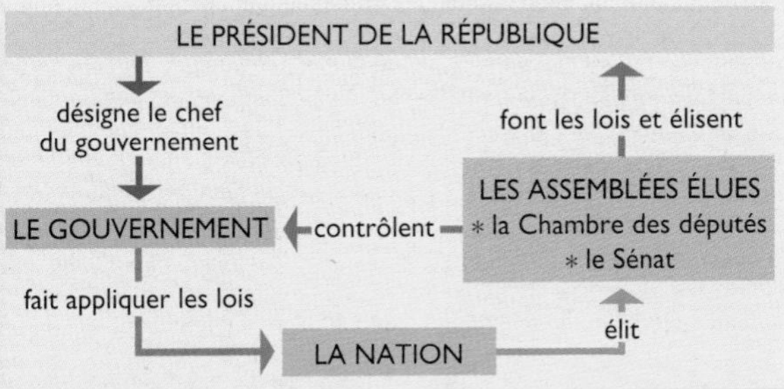

La démocratie parlementaire.

La prise des Tuileries par les insurgés.
Février 1848 : le roi Louis-Philippe abdique, la République est proclamée.

La fusillade des communards.
Un tableau de Manet (1832-1883).

LA MAIRIE

au centre de la vie démocratique de la commune

En 1900, le président de la République invita à Paris tous les maires de France. 20 000 répondirent à son invitation. Leurs costumes pouvaient être différents selon leur fortune ou leur région, mais tous portaient l'écharpe tricolore. Ils marquaient ainsi l'attachement de plus en plus profond des Français à la République.

La mairie d'Albertville, construite sous la IIIe République.

Aux débuts de la IIIe République, de belles mairies furent construites dans de nombreuses communes. Souvent la mairie se plaçait au centre d'un grand bâtiment, encadrée par les écoles primaires publiques de filles et de garçons.
La mairie est le lieu où se déroulent toutes les élections au suffrage universel : élection des conseillers municipaux, des conseillers généraux, des députés…
L'école est le lieu où l'on donne une instruction aux enfants et où on leur apprend à devenir de bons citoyens capables de défendre la République.

VICTOR HUGO

Le poète républicain combattant de la liberté

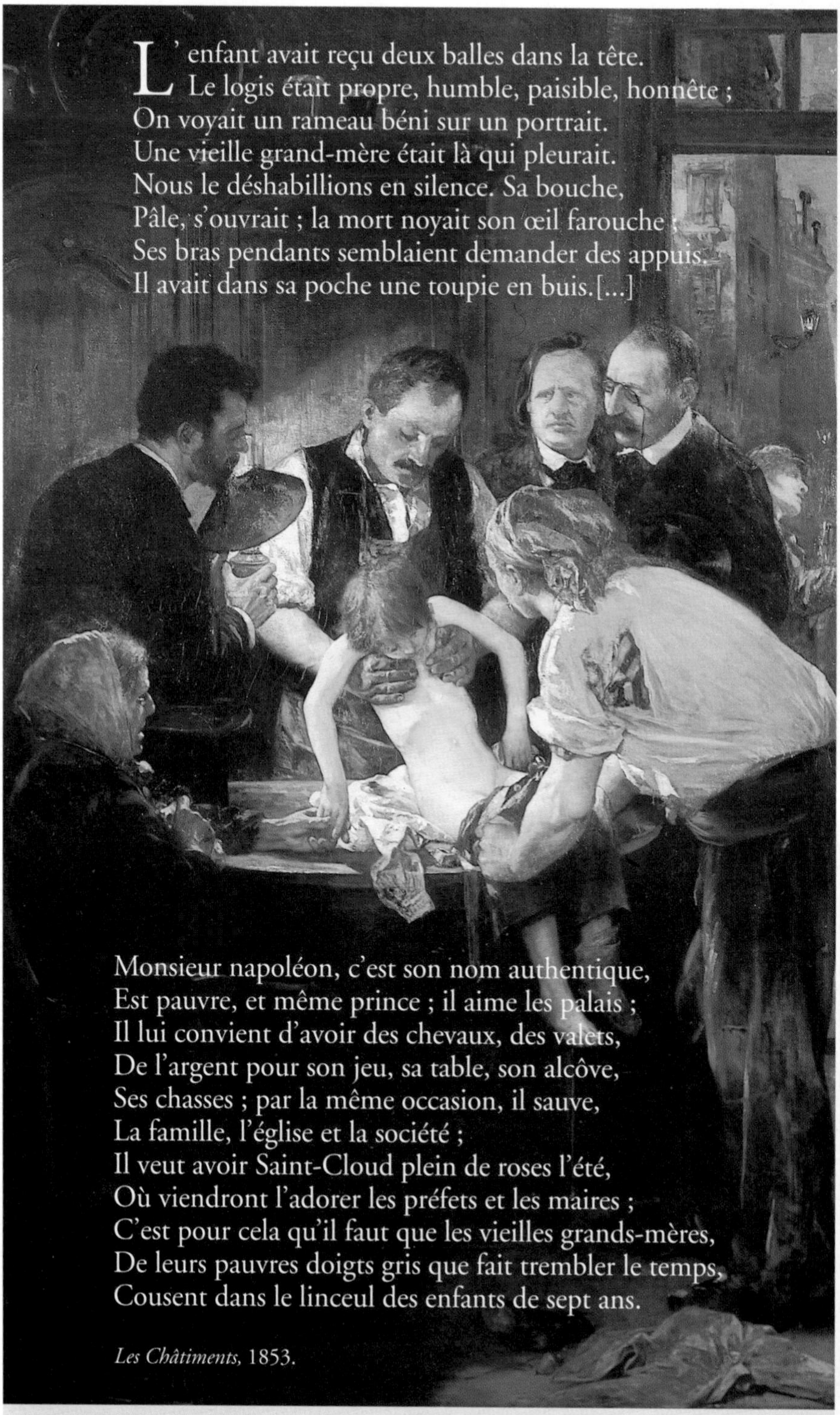

Portrait de Victo Hugo par Nadar.

Victor Hugo était un farouche opposant de Napoléon III qu'il appelait « Napoléon le Petit ». Député en 1851, lors du coup d'État de Louis Napoléon Bonaparte pour rétablir l'Empire, Victor Hugo tenta avec d'autres de résister, à Paris. Au cours de cette action, il assista à la mort d'un enfant. ▶

L'enfant avait reçu deux balles dans la tête.
Le logis était propre, humble, paisible, honnête ;
On voyait un rameau béni sur un portrait.
Une vieille grand-mère était là qui pleurait.
Nous le déshabillions en silence. Sa bouche,
Pâle, s'ouvrait ; la mort noyait son œil farouche ;
Ses bras pendants semblaient demander des appuis.
Il avait dans sa poche une toupie en buis.[...]

Monsieur napoléon, c'est son nom authentique,
Est pauvre, et même prince ; il aime les palais ;
Il lui convient d'avoir des chevaux, des valets,
De l'argent pour son jeu, sa table, son alcôve,
Ses chasses ; par la même occasion, il sauve,
La famille, l'église et la société ;
Il veut avoir Saint-Cloud plein de roses l'été,
Où viendront l'adorer les préfets et les maires ;
C'est pour cela qu'il faut que les vieilles grands-mères,
De leurs pauvres doigts gris que fait trembler le temps,
Cousent dans le linceul des enfants de sept ans.

Les Châtiments, 1853.

Souvenir de la nuit du 4 (nuit du 4 décembre 1851).
Tableau de Henri Gervex, pour le salon de 1880.

VICTOR HUGO (1802 - 1885)

1802 : Naissance de Victor Marie Hugo.

1831 : Parution de « Notre-Dame de Paris ».

1848 : Élu député à Paris.

1851 : S'oppose au coup d'État de Louis Napoléon Bonaparte.

1852-1870 : Exil à Jersey puis à Guernesey.
Il écrit de nombreuses œuvres dont « Les châtiments » et « les Misérables ».

1870 : Retour triomphal à Paris.

1871 : Élu député.

1885 : Mort de Victor Hugo. La république lui fait des funérailles nationales grandioses : un million de personnes y assistent.

L'ÉCOLE GRATUITE, LAÏQUE ET OBLIGATOIRE

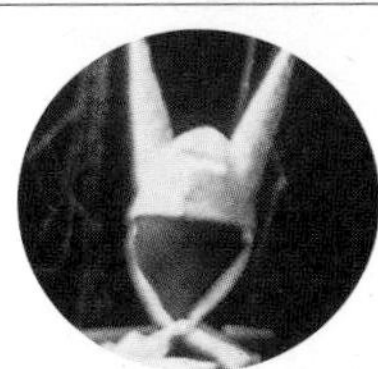

Les républicains considéraient que l'instruction était un besoin fondamental du peuple.
Pour eux, tous les enfants de France devaient recevoir la même instruction.
Tout au long du XIXe siècle, l'école avait connu des progrès, mais ce n'est qu'en 1881-1882 que les lois de Jules Ferry fondèrent l'école publique gratuite, laïque et obligatoire pour tous les enfants de la République, quelles que soient les opinions politiques ou religieuses des familles.
Les enfants de 6 à 13 ans devaient fréquenter l'école pour apprendre, en français, la lecture, l'écriture, le calcul.
Désormais les programmes et l'enseignement furent les mêmes partout en France.

Une classe enfantine en 1889.
Une peinture de Geoffroy.

Loi de 1882 : le contenu de l'enseignement primaire obligatoire.

L'enseignement primaire comprend :
l'instruction morale et civique ; la lecture et l'écriture ; la langue et les éléments de la littérature française ; la géographie, particulièrement celle de la France ; l'histoire, particulièrement celle de la France jusqu'à nos jours […] ; les éléments des sciences naturelles, physiques et mathématiques […].

Le tableau d'une école.

L'Europe

Messieurs, la Providence nous a dicté l'obligation de connaître la Terre et d'en faire la conquête [...] Ce n'est pas seulement dans un intérêt de curiosité que l'on a fait successivement des explorations et des découvertes géographiques. La découverte de l'Amérique, les explorations persévérantes dans l'intérieur de l'Afrique (...) ont eu, outre un but scientifique, un but politique.

Allocution du président de la société de géographie de Paris au Congrès international de 1875.

Pierre Savorgnan de Brazza (1852-1905) lors de son dernier voyage au Congo.
Gravure du Petit Journal *du 19 mars 1905.*

domine le monde

Depuis le voyage
de Christophe Colomb en 1492,
les Européens n'ont cessé
d'explorer le monde.
Les États-Unis, le Canada,
l'Amérique du Sud
ont été peuplés par des Européens.
Au XIXe siècle,
les puissances européennes,
la France et l'Angleterre surtout,
se partageaient l'Afrique
et de vastes territoires en Asie.

Observe l'image.

1. Où est le Congo ? De quand date cette image ? Qui était Savorgnan de Brazza ?

2. Décris les différents éléments représentés. Compare les deux personnages les plus importants, leur costume, leur attitude…

Lis le texte.

3. Qui parle ?

4. Qu'est-ce que *la Providence* ? Dans quels buts organisait-on des explorations ?

L'Europe domine le monde

Au XIXe siècle, les puissances européennes dominaient le monde. Le Royaume-Uni et la France possédaient de vastes empires coloniaux en Asie et en Afrique. Les principales possessions françaises étaient l'Indochine, Madagascar, l'Afrique occidentale et l'Afrique du Nord. La rivalité des puissances européennes et la haine entre les peuples conduisirent à la Première Guerre mondiale.

Les Européens à la conquête du monde

De 1800 à 1900, la population européenne a été multipliée par deux. Au cours du XIXe siècle, cinquante millions d'Européens émigrèrent. Ils quittaient des régions pauvres, comme l'Irlande, l'Europe centrale, l'Italie ou fuyaient la vie dure des villes industrielles et partaient s'installer dans les « pays neufs » d'Amérique ou d'Australie. Dans le même temps, des explorateurs achevèrent de découvrir l'Afrique. L'Écossais Livingstone remonta le fleuve Zambèze et découvrit les grands lacs de l'est de l'Afrique ; le Français Savorgnan de Brazza explora le Congo.
À la suite des explorateurs, missionnaires, hommes d'affaires et militaires colonisèrent de vastes territoires au nom des États européens. Ainsi, le Royaume-Uni et la France bâtirent de vastes empires coloniaux sans se préoccuper de la volonté des peuples d'Asie ou d'Afrique. Les uns voulaient christianiser les peuples colonisés, les autres recherchaient des matières premières pour l'industrie, des bois tropicaux, de l'huile d'arachide.
Pour exploiter leurs colonies, les Européens construisirent des routes, des ponts et des voies ferrées.

L'empire colonial français

Des responsables politiques comme Jules Ferry engagèrent la France dans la conquête coloniale. Ils montraient tous les avantages que la France pouvait tirer de la possession d'un grand empire colonial. Persuadés de leur supériorité, ils affirmaient aussi que la France devait apporter sa civilisation aux peuples d'Afrique ou d'Asie. Ainsi, des militaires conquirent l'Indochine et Madagascar. Des expéditions permirent la colonisation de l'Afrique de l'Ouest. En Afrique du Nord, la France, installée en Algérie depuis 1830, s'imposa en Tunisie et au Maroc.
En 1914, la France possédait un empire colonial de 11 millions de km^2, soit vingt fois sa propre superficie.

La rivalité des grandes puissances

D'autres pays s'intéressèrent à la colonisation, mais plus tardivement que la France et le Royaume-Uni qui avaient déjà constitué de vastes empires coloniaux. Devenue une grande puissance industrielle, l'Allemagne revendiqua sa part de territoires. À deux reprises, en 1905 et en 1911, la guerre faillit éclater en Europe car l'Allemagne convoitait le Maroc qui intéressait également la France.
En Europe même, l'Autriche et la Russie se disputaient l'influence sur les territoires perdus par l'Empire turc. Les Français rêvaient de reconquérir l'Alsace-Lorraine annexée par la Prusse en 1871.
Les motifs de guerre étaient très nombreux et aucun des grands pays européens ne voulait demeurer seul. La France, la Russie et le Royaume-Uni se rapprochèrent tandis que la Prusse et l'Autriche-Hongrie s'allièrent.
La course aux armements se développait, la haine entre les peuples montait. Certains hommes politiques, comme Jean Jaurès, voyaient le danger et appelaient à la paix. Mais l'Europe était prête à la guerre.

Notions

- **Les colonies**
  Ce sont les territoires conquis, souvent par la force, et exploités par le pays conquérant.

- **Un missionnaire**
  C'est un religieux chargé de convertir des populations à sa religion. Les églises chrétiennes ont envoyé des missionnaires en Afrique pour convertir les peuples colonisés.

Une école de garçons en Algérie vers 1860.

La rivalité des puissances coloniales : la France et l'Angleterre se partagent l'Afrique.
Illustration parue en 1904 dans l'*Assiette au beurre*, un journal satirique.

LA DÉCOUVERTE DES CIVILISATIONS D'ASIE...

Le Bouddha (1905). Odilon Redon.
Des artistes européens comme le peintre français Odilon Redon furent influencés par les civilisations asiatiques.

...ET D'AFRIQUE

Statue Sénoufo, d'Afrique occidentale. ▲

Au début du XXᵉ siècle, les Européens découvrirent l'art africain. Certains artistes s'inspirèrent de cet art appelé parfois « art nègre ».

▲ *Les Demoiselles d'Avignon (détail), une toile de Picasso peinte en 1907.*

L'INSTALLATION DES EUROPÉENS DANS LE MONDE

Couverture d'un livre pour la jeunesse vers 1900.

La conquête

La supériorité de leurs armes permit aux Européens de s'imposer. Ils subirent pourtant souvent de sévères défaites. La force de leurs armes faisaient croire aux Européens que leur civilisation était supérieure : certains pensaient que leur mission était de civiliser les peuples dominés.

La mise en valeur des colonies

En 1893, de nombreux Français, mais aussi des Espagnols et des Italiens étaient installés en Algérie, depuis la conquête française en 1830. L'image veut montrer l'œuvre accomplie par les colons dans différents domaines. Cette œuvre s'accompagne cependant de l'exploitation des peuples vivant en Algérie.

▲ *Almanach du petit colon algérien, 1893.*

L'émigration

Les Européens du XIXe siècle étaient aussi des émigrants : des pauvres qui devaient quitter leur pays pour vivre. Quinze millions d'Européens ont émigré vers le « nouveau monde », surtout les États-Unis d'Amérique. En Europe, les gouvernements étaient favorables à ces départs car ceux qui émigraient, refusant leur misère, auraient pu causer des désordres.

Des émigrants allemands partant pour les États-Unis, en 1876. ▶

L'ouverture du monde par les Européens

Inauguration du canal de Suez, en 1869.

La puissance de l'Europe se manifesta par de grandes réalisations techniques dans le monde.

◀ Long de 160 km, le canal de Suez permit de réduire de 8 000 km le trajet entre Londres et Bombay, en Inde. La volonté de relier la mer Méditerranée et la mer Rouge par un canal était très ancienne. Des canaux existaient 2 000 ans avant Jésus-Christ, au temps des Pharaons d'Égypte. Il faudra cependant attendre la civilisation industrielle pour qu'un Français, Ferdinand de Lesseps, puisse réaliser cette œuvre gigantesque à partir de plans réalisés une vingtaine d'années auparavant.

Le monde s'ouvre pour les Européens : le grand commerce se développe ; les grands voyages transocéaniques se multiplient.

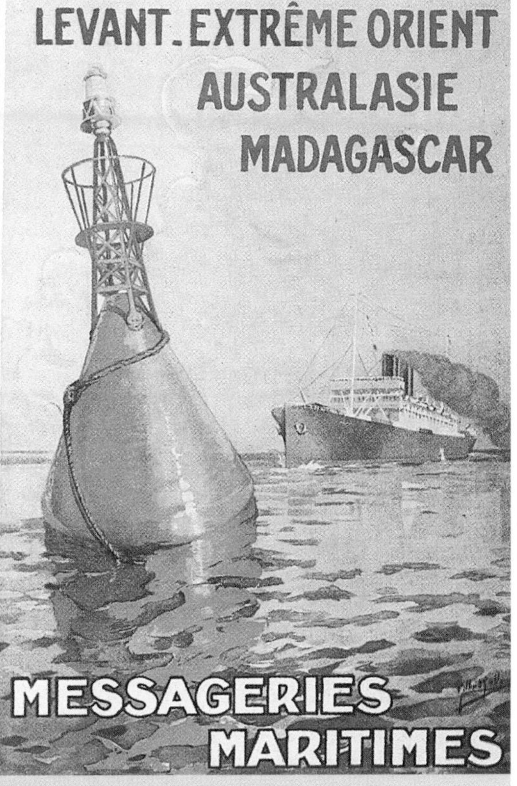

Affiche des Messageries maritimes.

La construction d'un pont sur l'Euphrate en Irak, par les Allemands.

Écrire un texte

La conquête du suffrage universel

Un même événement peut être rapporté par différents documents, d'origines et de catégories diverses. Chacun de ces documents apporte des informations, souvent complémentaires. Le recueil et l'organisation de ces informations permettent d'écrire un texte historique.

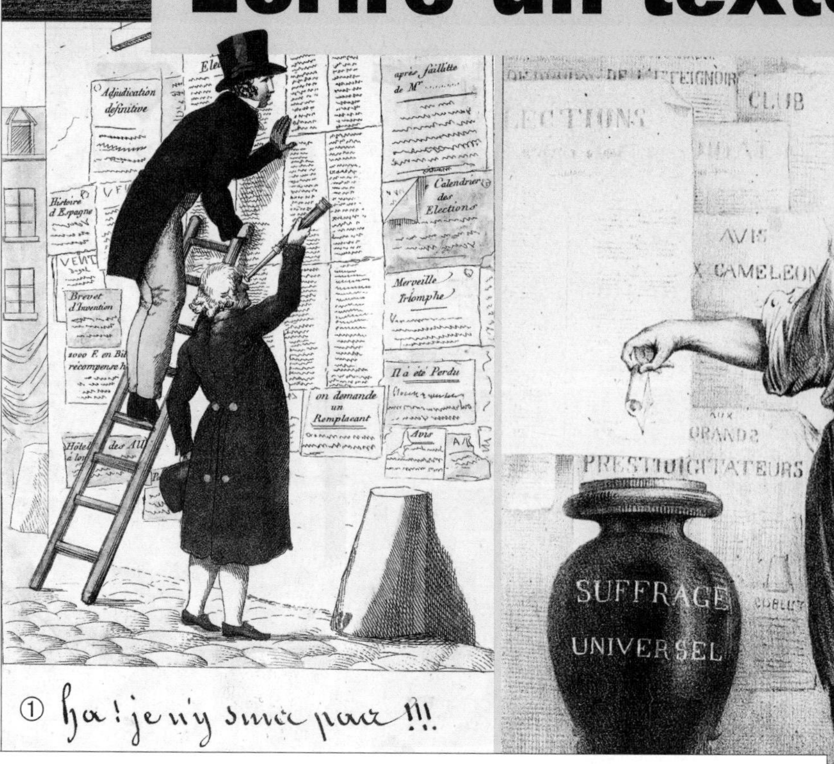

① ha ! je n'y suis pas !!!

Révolution de 1789 – 1801 – 1814 – Révolution de 1848 – 1914 – libération de la France 1944

- suffrage | Napoléon Bonaparte | censitaire | suffrage universel (hommes) | suffrage universel
- 1791 : 1ère élection pour désigner les représentants du peuple pour le gouvernement de la France
- 1848 : 250 000 d'électeurs | 9 000 000 d'électeurs — suffrage universel masculin
- 1914 : isoloir
- 1944 : 20 000 000 d'électeurs — suffrage universel

Quelques définitions :

Le suffrage : système de vote utilisé pour une élection. Il existe plusieurs types de suffrage.

Le suffrage censitaire : le droit de vote est réservé aux hommes qui paient l'impôt (le cens), c'est-à-dire aux personnes riches ou assez riches. Les pauvres sont exclus de l'élection.

Le suffrage universel : tous les citoyens majeurs votent, sans considération de fortune.

Quelques informations complémentaires :

Avant 1789, il n'y avait pas de représentants du peuple élus pour gouverner le royaume.

En 1792, les révolutionnaires instituent le suffrage universel masculin, mais dès 1796 le suffrage censitaire est restauré.

De 1801 à 1814, Napoléon Bonaparte supprime toute élection.

1789-1944 : vers le suffrage universel

- Que représentent les différentes gammes de couleur sur la frise chronologique ?
- Montre la relation qui existe entre les mouvements révolutionnaire et les progrès du système électoral.

Jusqu'en 1848 : un premier pas, le suffrage censitaire

Document ①

- Observe les vêtements des deux personnages. À quelle catégorie de la population appartiennent-ils ?

Document ③

• Qui vote ? Décris la photo. Pourquoi la personne est-elle cachée dans un isoloir ?

Écrire...

Tu possèdes maintenant les informations suffisantes pour écrire un texte sur l'histoire du suffrage universel en France. Reprends les phrases que tu as écrites. N'oublie pas les dates et les mots importants : *suffrage censitaire, suffrage universel, urne, isoloir...*

① *Un dessin humoristique de 1816.*

② *Une gravure de 1848.*

③ *Le premier vote des femmes, aux élections municipales d'avril 1945.*

• De quand date ce dessin ? Quel était le système électoral en vigueur à ce moment-là ?
• Explique le titre du dessin : « Je n'y suis pas ».
• Résume en une phrase ce qu'a voulu dire le dessinateur.

1848 : une grande victoire pour le peuple

Document ②

• Le personnage central est un ouvrier. Décris ses vêtements.
• De quand date la gravure ? Est-ce le premier vote pour l'ouvrier ?
• Pourquoi le dessinateur a-t-il fait de l'urne un objet de luxe ?
• Décris les deux gestes effectués par l'ouvrier.
Pourquoi pose-t-il son fusil ? En quelle année en a-t-il eu besoin ?
• Résume en deux ou trois phrases le sens de cette gravure.

Pour écrire un texte historique, il faut :

• réunir les documents ;

• les classer dans l'ordre chronologique ;

• écrire pour chacun d'eux l'information recueillie ;

• organiser toutes ces informations dans un texte.

La société française

**À partir de 1850,
la révolution industrielle transforma la société française.
Les grandes usines se multiplièrent.
Le chemin de fer facilita les déplacements.
La population des campagnes diminua, celle des villes augmenta.
Les ouvriers, de plus en plus nombreux, durent lutter pour améliorer leurs conditions de vie et de travail, ainsi que leur salaire.**

Le travail des paysans

La paie des moissonneurs
Tableau de L. Lhermitte, 1882.

- Comment s'effectuait la moisson vers 1880 ?
- Combien y a-t-il de moissonneurs sur ce tableau ? Qui sont les autres personnages ? Observe bien les différences des vêtements.
- À quel moment de la journée les moissonneurs sont-ils payés ?
- On appelait ces travailleurs des « journaliers » ? Pourquoi ?

Le début de l'exode rural

Les raisons du départ vers la ville

Le seul travail de la terre ne suffisait plus aux petites gens. L'agriculture ne pouvait maintenir à elle seule une classe d'ouvriers agricoles à cause des irrégularités du travail de la terre.

Desfontaines, *La Moyenne Garonne*, 1932.

Ceux qui partent, ce sont des jeunes, attirés à la ville par les emplois de domestiques ou d'employés dans les administrations. [...] Les filles sont nombreuses à partir vers les villes pour devenir lingères, couturières, surtout domestiques dans les familles bourgeoises.

A. Moulin, *Les paysans dans la société française*, 1988.

- Trouve dans ces deux textes des raisons au départ de la campagne vers les villes.
- Quelle catégorie de la population des campagnes est surtout concernée ?

Le départ pour la ville
Une gravure de Bauce.

- Quels sont les bagages emportés par la jeune fille ?
- Quels sont les emplois qu'elle peut espérer trouver ?

à la fin du XIXe siècle

La transformation des villes

Les grands travaux à Paris

Le percement de l'avenue de l'Opéra en 1877.

- Quels sont les outils utilisés pour ces gigantesques travaux ?
- Pour quelles raisons réalise-t-on de tels travaux ?

L'augmentation de la population à Paris

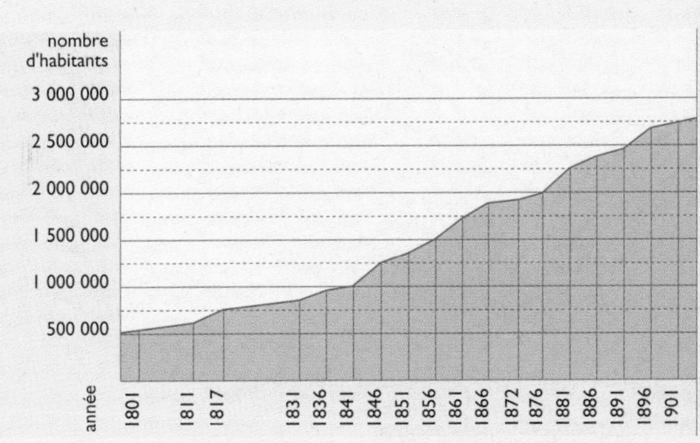

- Quelle était la population de Paris en 1841 ? en 1901 ?

Les quartiers ouvriers

Quartiers ouvriers et quartiers bourgeois

On les[1] démolit et, à leur place, on construit des boutiques, des grands magasins, des bâtiments publics. [...] Il en résulte que les travailleurs sont refoulés du centre-ville vers la périphérie.[...] Les ruelles et les impasses les plus scandaleuses disparaissent et la bourgeoisie se glorifie hautement de cet immense succès. Mais ruelles et impasses resurgissent aussitôt ailleurs.

Engels (1820-1895).

([1]) Les quartiers populaires, faits de ruelles étroites et de maisons insalubres.

- Pour quelles raisons démolit-on certains quartiers ?
- Où vont loger les ouvriers ? Dans quelles conditions ?

Loin des beaux quartiers

Rue Caulaincourt, à Paris, vers 1865/1870.

- Décris les habitations du premier plan.
- À quelle phrase du texte de Engels fait penser cette photographie ?

La société française à la fin du XIXe

Le travail des enfants

Un atelier de fabrication de boulons pour le matériel de chemin de fer

Les établissements Decauville à Corbeil.

- Combien d'enfants travaillent dans cet atelier ?
- Que penses-tu des conditions de travail, au milieu de ces machines ?

La loi de 1841 sur la réglementation du travail des enfants

- Fais un tableau des principales interdictions prévues par la loi de 1841 selon les âges.
- Que penses-tu de ces règles?

Art. 2 - Les enfants devront, pour être admis, avoir au moins huit ans. De huit à douze ans, ils ne pourront pas être employés au travail plus de huit heures sur vingt-quatre, divisées par un repos.
De douze à seize ans, ils ne pourront être employés au travail plus de douze heures sur vingt-quatre, divisées par un repos.
Tout travail de nuit est interdit pour les enfants au-dessous de treize ans.
Art. 4 - Les enfants au-dessous de seize ans ne pourront être employés les dimanches et les jours de fête [...].

La douceur de vivre de la bourgeoisie

La pâtisserie Cloppe, au rond-point des Champs-Élysées, à Paris.

Un tableau de Jean Béraud, 1889.

- Quelle est la clientèle de la pâtisserie ? À quelle catégorie sociale appartient-elle ?
- Observe les enfants. Compare-les aux jeunes ouvriers du document ci-dessus.

Les luttes ouvrières

Une grève à Saint-Ouen, dans la banlieue de Paris
Tableau de P.L. Delance, 1908.

- Décris le tableau, du premier plan à l'arrière-plan.
- Comment l'artiste a-t-il voulu montrer que toutes les générations sont réunies dans la grève ?

Les revendications ouvrières en 1906
Une affiche syndicale.

Nous voulons
la journée de **8** heures
sans diminution
de salaires

TRAVAILLEURS !

Si vous désirez profiter des joies de la famille et de la vie ;

Si vous voulez un peu plus de bien-être et de liberté ;

Si, las des longues journées de travail, vous voulez voir diminuer votre joug afin de vous instruire et de vous éduquer ;

Si, enfin, vous êtes d'avis de diminuer le chômage meurtrier auquel vous êtes tous contraints :

Préparez-vous à mettre en application la journée de 8 heures pour le 1er mai 1906.

Souvenez-vous que l'on n'obtient que ce que l'on impose.

8 *heures de travail*
8 *heures de loisirs*
8 *heures de repos*

- Quelle est la durée légale du travail en France, aujourd'hui ?
- Quelle est la revendication principale des ouvriers ?
- Quelle date est annoncée sur l'affiche ?
Que fête-t-on à cette date aujourd'hui ?

SYNDICAT NATIONAL DES CHEMINS DE FER
" PUBLIC APPREND QUE CHAQUE SEMAINE LES ACCIDENTS DE TRAVAIL TUENT TROIS DES NÔTRES ET EN BLESSENT QUINZE
ET LA CHAIR À TAMPON EST POUR RIEN CAR NOUS AVONS DES SALAIRES DÉRISOIRES AUSSI PUBLIC SOIS SYMPATHIQUE À TOUT CE QUE NOUS POURRONS TENTER POUR AMÉLIORER NOTRE SORT ET PAR LÀ MÊME ASSURER TA SÉCURITÉ. "

Une affiche syndicale sur les accidents du travail
Affiche du Syndicat national des Chemins de fer (C.G.T.), 1910.

- Quelle est la profession des ouvriers qui s'expriment à travers cette affiche ? À qui s'adressent-ils ?
- Décris la scène principale. Que représentent les deux personnages au premier plan à gauche ?

La « chair à tampon », ce sont les cheminots qui risquent de se faire écraser entre les tampons des wagons.

Le progrès social

Les lois sociales au XIXe siècle

1841 : loi limitant le travail des enfants
1864 : droit de grève accordé aux ouvriers
1874 : interdiction du travail des enfants de moins de 13 ans
1884 : liberté pour les ouvriers de créer des syndicats
1892 : travail des femmes limité à 11 heures, interdit la nuit
1895 : création de la CGT[1]
1904 : durée du travail limitée à 10 heures
1906 : repos hebdomadaire obligatoire le dimanche

([1]) Confédération Générale du Travail réunissant plusieurs syndicats ouvriers

- Que dit la loi de 1874 ? Que faudrait-il pour que la loi soit respectée à l'atelier de fabrication de boulons de Corbeil ?
- Quelles sont les lois qui permettent aux travailleurs de s'organiser ?
- Quelles sont les lois qui limitent la durée du travail ?

Présente en quelques lignes les principaux aspects de la société française à la fin du XIXe siècle.

Décris en un petit paragraphe la vie des ouvriers à cette époque (logement, conditions de travail, lutte, progrès, acquis...).

1904
1848
1867

DES PROGRÈS TECHNIQUES TOUT AU LONG DU XIXe SIÈCLE

1. Observe ces documents dans l'ordre chronologique.

2. Classe chaque document dans l'une des catégories suivantes : armement, automobile, chemin de fer, industrie textile, navigation, aviation, télécommunications, industrie mécanique.

3. Classe ces innovations, quand c'est possible, en fonction de l'énergie qu'elles utilisent : vapeur, pétrole, électricité. N'oublie pas de relever les dates. Qu'observes-tu ?

Un siècle

Quand on songe aux conséquences de la Grande Guerre, qui vient de se terminer, on peut se demander si l'étoile de l'Europe ne pâlit pas et si n'a pas commencé pour elle une crise vitale. En décimant ses multitudes d'hommes […] ; en gaspillant ses richesses matérielles ; en détournant pendant plusieurs années les esprits et les bras du labeur productif vers la destruction barbare ; […] la guerre n'aura-t-elle pas porté un coup fatal à l'hégémonie[1] de l'Europe sur le monde ?

A. Demangeon,
Le déclin de l'Europe, Payot, 1920.

Saint-Lô en ruine en 1944.
Le 6 juin 1944, les Alliés – Américains, Anglais et Canadiens – commandés par le général Eisenhower, débarquèrent en Normandie et enfoncèrent les lignes allemandes.
Saint-Lô (Manche) fut libéré le 19 juillet par les troupes américaines.

de guerres

Au début du XXe siècle,
la science, l'industrie,
le commerce,
les empires coloniaux
démontraient la puissance
de l'Europe.
Les deux guerres mondiales
du XXe siècle la ruinèrent.
Les États-Unis et l'URSS
devinrent les puissances dominantes.

Observe la photo.

1. À quelle date cette photo a-t-elle été prise ? Pendant quelle guerre ?

2. Décris la photo. Quelles armes ont pu provoquer de telles destructions ? Que fallut-il faire dès la fin de la guerre ?

Lis le texte.

3. De quand date ce texte ? De quel livre est-il extrait ?

4. Qu'est-ce que la « Grande Guerre » ? Quelles furent les conséquences de la Grande Guerre pour l'Europe ?

([1]) la domination.

La Première Guerre mondiale fit 10 millions de morts. La Seconde Guerre mondiale fit 50 millions de morts. Ce fut le temps de la barbarie des camps d'extermination. De 1947 à 1989, le monde était divisé en deux blocs autour des États-Unis et de l'URSS.

1914-1918, la Première Guerre mondiale

Au début du XXe siècle, les pays européens, divisés, se disputaient les marchés et les colonies. Pour défendre leurs intérêts, ils s'armèrent. La France s'allia avec l'Angleterre et la Russie, l'Allemagne avec l'Autriche. La guerre éclata en août 1914. Elle se déroula surtout dans l'est et le nord de la France. Les deux armées se faisaient face, enterrées dans des tranchées. On n'en sortait que pour des offensives meurtrières. La seule bataille de Verdun, en 1916, fit un million de victimes. En 1917, les États-Unis entrèrent en guerre aux côtés de la France et de l'Angleterre. Le 11 novembre 1918, l'Allemagne, épuisée, demanda l'armistice.

La nouvelle carte de l'Europe en 1920.

1939-1945, la Seconde Guerre mondiale

En Allemagne, le refus des traités de paix signés en 1919 et une grande crise économique favorisèrent l'arrivée au pouvoir du dictateur Hitler et de son parti nazi. Malgré les traités de paix, Hitler annexa des territoires perdus en 1919. En 1939, il attaqua la Pologne. La France et l'Angleterre lui déclarèrent la guerre.
L'armée allemande déferla sur l'Europe.
La France fut battue et occupée en mai/juin 1940.
Le maréchal Pétain, chef de l'État français, signa l'armistice et décida de collaborer avec Hitler.
Réfugié à Londres, le général de Gaulle organisa la Résistance.
En 1941, la guerre devint mondiale. L'Allemagne attaqua l'URSS, tandis que le Japon, son allié, entrait en guerre contre les États-Unis.
L'Allemagne subit ses premières défaites en URSS.
Après le débarquement des Alliés en Normandie, le 6 juin 1944, l'Allemagne était prise en tenaille.
Écrasée sous les bombes, puis envahie, l'Allemagne capitula le 8 mai 1945.
Deux bombes atomiques lâchées sur Hiroshima et Nagasaki firent capituler le Japon en septembre 1945.
La barbarie nazie était vaincue, mais le monde découvrit avec horreur les camps d'extermination.
La Seconde Guerre mondiale avait fait 50 millions de morts.

1947-1989, le monde divisé en deux blocs

Après 1945, les États-Unis et l'URSS devinrent les seules véritables puissances. Alliées pendant la guerre, elles s'opposèrent dès 1947. Ce fut la « guerre froide ». Chacune forma un « bloc » avec ses alliés. Chacune était dotée de l'arme atomique. Elles se livrèrent à une dangereuse course aux armements.
En Europe, l'Est s'opposait à l'Ouest, mais la guerre fut évitée. L' Allemagne était coupée en deux. Le mur de Berlin, qui partageait l'ancienne capitale allemande, était le symbole de la division du monde. En 1989, le bloc soviétique s'effondra et l'Allemagne se réunifia.

Notions

- **Nazi**
Hitler fonda sa doctrine et son régime sur l'idée de la supériorité du peuple allemand et de la toute-puissance de son chef. L'État nazi était totalitaire.

- **La Résistance**
C'est l'action menée clandestinement dans les pays occupés par l'Allemagne par ceux qui voulaient continuer le combat.
En France, le général de Gaulle réfugié à Londres appela à la résistance, le 18 juin 1940. Il organisa et regroupa les résistants dans les Forces Françaises Libres qui participèrent à la libération de la France aux côtés des Alliés.

- **Les Alliés**
Pendant la Seconde Guerre mondiale, c'était l'ensemble des pays qui combattaient l'Allemagne et le Japon aux côtés des États-Unis, du Royaume-Uni et de l'URSS.

- **Les camps d'extermination**
Ce sont les camps spéciaux construits par les nazis pendant la Seconde Guerre mondiale pour exterminer les Juifs, les Tziganes et les résistants... Six millions de Juifs périrent dans ces camps.

Détenus dans le camp nazi de Mathausen.

LES MONUMENTS AUX MORTS

Toutes les communes en France ont leur monument aux morts de la guerre 1914-1918. La Grande Guerre mobilisa 8 millions de Français, soit un sur cinq : 1, 5 million d'entre eux furent tués ; presque toutes les familles furent endeuillées.

Le monument aux morts de Magny-le-Freule, dans le Calvados.
Le type le plus fréquent de monument : « Aux morts pour la Patrie ».

QUE MAUDITE SOIT LA GUERRE
AUX ENFANTS D'ÉQUEURDREVILLE
MORTS
PENDANT LA GUERRE
1914 – 1918

Le monument d'Équeurdreville, dans la Manche.
Un type de monument plus rare : « Que maudite soit la guerre ».

21 Février - 18 Décembre 1916

Verdun

La plus grande bataille de la Grande Guerre

◀ *La Voie sacrée.*
La route entre Bar-le-Duc et Verdun était l'unique voie de ravitaillement du front. Jour et nuit, les convois d'hommes et de matériel y défilaient. Jour et nuit, elle était empierrée par 8 500 hommes.
Les camions en panne étaient rejetés sur le bas-côté pour ne pas gêner le flot continu des convois.
Une toile de G. Scott, musée de l'Armée.

L'occupation de tout point même débordé, même entouré doit être maintenue à tout prix... Il ne doit y avoir qu'une consigne : tenir coûte que coûte en vue de la contre-attaque, que celle-ci puisse arriver ou non.

Ordre du jour du quartier général français, 22 février 1916.

Aujourd'hui, un lieu de mémoire

Hommage aux morts de 14-18.
Le 22 septembre 1984, à Verdun, le président de la République française et le Chancelier de la République Fédérale d'Allemagne, rendaient « hommage aux morts des combats passés ».

Le tragique bilan

302 jours de combats.
221 000 Français tués, disparus ou prisonniers.
320 000 blessés.
500 000 Allemands tués, disparus ou blessés.
1 million d'hommes tués ou blessés.
Une bataille pour rien ?

◀ *Une tranchée.*
Des soldats français, casqués, masque à gaz sur le visage, baïonnette au fusil, attendent l'assaut.

6 AOÛT 1945

HIROSHIMA

La première bombe atomique

Les **États-Unis** étaient en guerre contre le **Japon**, allié de l'Allemagne nazie, depuis décembre 1941.

Le 6 août 1945, les États-Unis lâchèrent la première bombe atomique sur Hiroshima, au Japon. La ville fut rasée. La bombe fit 80 000 tués et 70 000 blessés.

En août 1945, le président américain Truman justifiait l'emploi de la bombe atomique en disant : « Nous l'avons utilisée pour raccourcir la guerre, pour sauver des milliers et des milliers de jeunes Américains ».

Le 9 août 1945, l'aviation américaine lançait une seconde bombe atomique sur une autre ville japonaise, Nagasaki, faisant 80 000 victimes.

La ville d'Hiroshima, plusieurs mois après l'explosion de la bombe.

Soudain un éclair aveuglant me fit sursauter, puis un second [...]. Nous restâmes figés sur place, jusqu'au moment où la maison devant nous se mit à osciller et s'écroula presque à nos pieds. Aussitôt notre propre maison se mit à vaciller et, quelques secondes plus tard, elle s'écroulait à son tour dans un nuage de poussière [...]. Je vis défiler devant moi des ombres humaines, semblables à une procession de fantômes. Certaines d'entre elles paraissaient en proie à une douleur indicible et avançaient, les bras écartés du corps, les avants-bras ballants. Ces silhouettes m'intriguèrent, jusqu'au moment où je compris qu'elles appartenaient à des gens atrocement brûlés qui voulaient éviter la friction douloureuse de leurs membres contre leurs flancs mis à vif...
Des incendies jaillissaient de tous côtés, tandis qu'un vent d'ouragan attisait les flammes et les propageait d'un bâtiment à l'autre. Bientôt nous fûmes cernés par le feu [...]. Les rues silencieuses n'étaient peuplées que de cadavres [...]. Hiroshima n'était plus une ville, mais un désert de feu. À l'est et à l'ouest, tout était nivelé.

Mishihiko Hashiya, *Journal d'Hiroshima.*

Le monument de la Paix à Hiroshima.
Au fond, le dôme de la Paix, ruine d'un bâtiment détruit par l'explosion.
Au premier plan, le monument évoque un champignon atomique. Le peuple japonais a voulu faire d'Hiroshima un lieu consacré à la paix entre les hommes.

Les progrès

Nous avons vu proliférer les automobiles, s'installer la télévision, naître le Club Med' et les hypermarchés, se diffuser la pilule, s'envoler le Concorde. Nous sommes nés à l'âge du poêle à charbon et, aujourd'hui, nous nous éclairons à l'énergie nucléaire. Aucune génération avant nous, peut-être aucune après nous, n'aura vu, de ses yeux vu, autant de bouleversements, enregistré autant d'innovations. C'est dire que malgré les malheurs qui nous entourent, malgré les inconnues qui nous menacent, nous sommes marqués au sceau de l'optimisme. À nous, et à nous seuls, ce siècle terrible laissera un bon souvenir.

Jean Boissonnat,
Rendez-vous avec l'histoire,
1995.

Salle d'opération dans un hôpital.
La fin du XIXe siècle a vu la découverte des microbes, des règles de l'asepsie… En 1929, Alexander Fleming découvrit les propriétés antibiotiques de la pénicilline. Ces découvertes firent faire de grands progrès à la médecine après la Seconde Guerre mondiale.

du XXe siècle

LEÇON 15

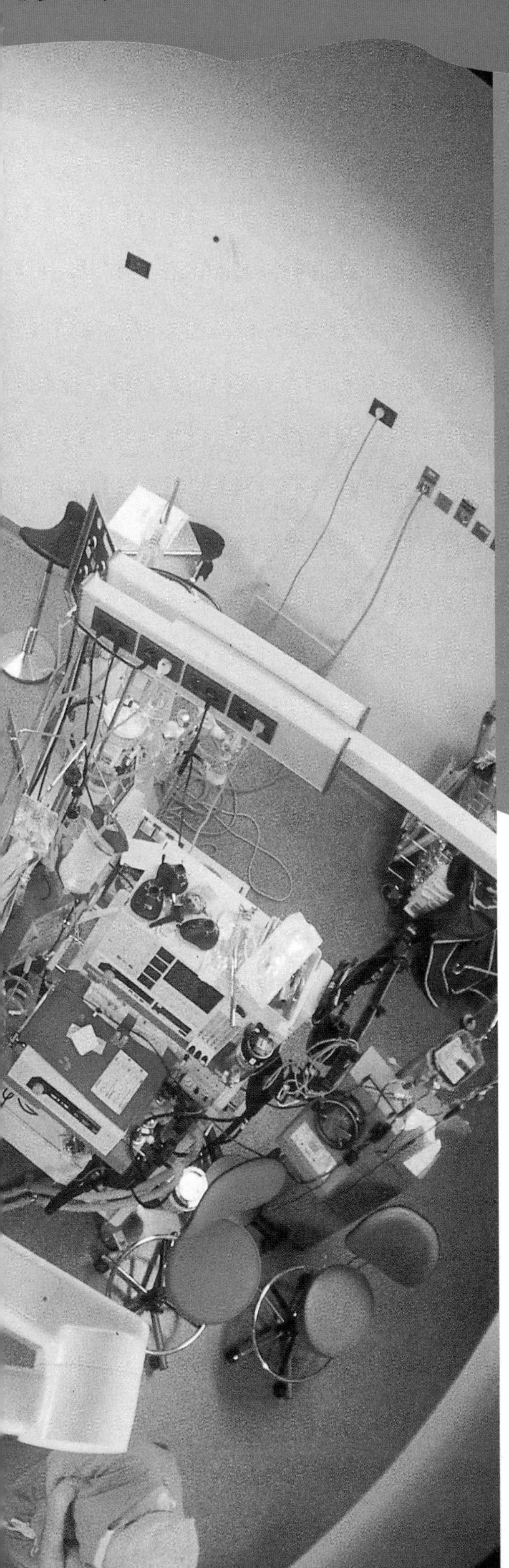

Au lendemain
de la Seconde Guerre mondiale,
les grands pays industrialisés
connurent une période
de croissance économique
sans précédent.
La société entière
profita de la prospérité
et des progrès faits
dans de nombreux domaines.
Cette courte période
paraît aujourd'hui exceptionnelle
dans l'histoire.

Observe la photo.

1. Où a-t-elle été prise ? Observe les personnages.
   Quels métiers exercent-ils ?
   Comment sont-ils habillés ?
   Observe le matériel.
   Quelles remarques peux-tu faire ?

Lis le texte.

2. De quelle année date ce texte ? L'auteur est-il de la même génération que tes parents ? Tes grands-parents ?

3. Quels sont les bouleversements et les innovations cités par l'auteur du texte ?

4. À quoi l'auteur fait-il allusion quand il évoque « les malheurs qui nous entourent » ? Quel est « ce siècle terrible » dont il parle ? Pourquoi ?

Les progrès du XXe siècle

De l'immédiat après-guerre au milieu des années soixante-dix, la France, comme tous les pays industrialisés, connut une période de prospérité. Ce fut une époque d'accélération des progrès techniques et scientifiques, de croissance de la production et de la consommation, de profondes transformations de la société.

L'accélération des progrès scientifiques et techniques

À partir des années 60, les progrès scientifiques et techniques s'accélérèrent. Les États et les entreprises consacrèrent de plus en plus d'argent à la recherche. On multiplia les laboratoires dans les universités et les entreprises.
La maîtrise de l'atome permit d'utiliser l'énergie nucléaire pour produire de l'électricité.
La recherche scientifique bénéficia largement à la médecine. La mise au point de robots permit de remplacer l'homme dans certains travaux, notamment sur les chaînes de montage d'automobiles.
Les satellites accélérèrent la communication.
Au cours des années 80, le micro-ordinateur fit son entrée dans toutes les entreprises de tous les secteurs d'activités, et dans de très nombreux foyers.

Une croissance exceptionnelle de la consommation

Après avoir réparé les destructions de la guerre, les pays industrialisés connurent, des années 50 à 1973, près de trente années de croissance économique.
Après les États-Unis, l'Europe découvrit la publicité, le crédit et le commerce en libre-service. Les achats se portèrent surtout sur l'automobile, le logement et son équipement (appareils ménagers, télévision), les produits d'hygiène, les loisirs et les vacances, etc.
La forte croissance des naissances après la guerre, le « baby-boom », fit augmenter et rajeunir la population. En France, elle augmenta autant de 1946 à 1969 que de 1800 à 1946. L'État intervint pour répondre aux demandes nouvelles de la société. De grands ensembles de logements furent construits dans les banlieues des villes. Dans les années 70, il fallut construire de nombreux collèges pour faire face à l'afflux d'élèves.

Depuis 1980, le retour des difficultés

Vers 1975, le ralentissement de la croissance économique et le déclin des industries anciennes (textile, sidérurgie) entraînèrent le chômage : 2 millions de chômeurs en 1982, plus de 3 millions en 1993. Après les « années faciles » revenaient l'incertitude, l'insécurité sociale.
Aujourd'hui, une nouvelle pauvreté est apparue en France : les adultes sans emploi et sans domicile fixe sont de plus en plus nombreux.
Le droit à l'emploi fait partie des lois de la République, aussi l'État lutte-t-il pour réduire cette nouvelle misère.
Pourtant, malgré la crise, la France reste une puissance internationale et la société française poursuit sa modernisation.

Un agriculteur aujourd'hui.
L'agriculteur est devenu un technicien et un chef d'entreprise.

Notions

• La croissance économique
C'est une période de prospérité économique caractérisée par une augmentation de la production des entreprises, des revenus et de la consommation de la population.

Un atelier de découpe de vêtements.
L'atelier est organisé comme un laboratoire. L'ouvrière commande et contrôle l'exécution d'une pièce sur une machine informatique. Que reste-t-il du fameux « tour de main » des ouvrières qualifiées ?

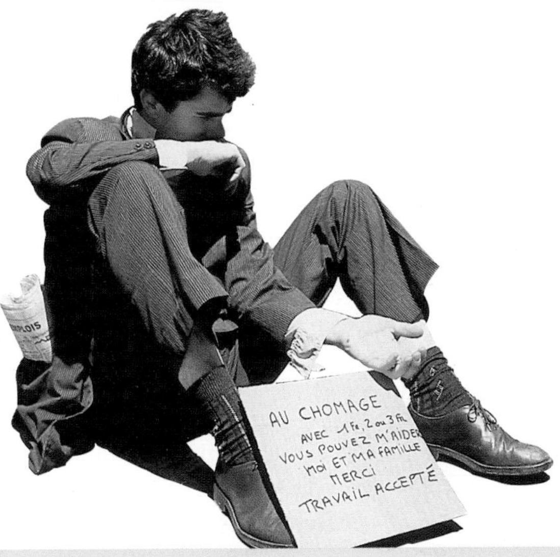

Les effets du chômage.
Une image de la misère, particulièrement visible dans les villes.

LA SÉCURITÉ SOCIALE

Dès la fin de la guerre, en octobre 1945, le gouvernement créa la Sécurité sociale pour assurer à chaque habitant du pays, quel que soit son revenu, la même protection.

Le jardin du Luxembourg, à Paris, en 1947.
Au lendemain de la guerre, la France connut une forte augmentation des naissances. Le versement d'allocations familiales aida les familles.

La Sécurité sociale rembourse les frais médicaux, paie les retraites, verse des allocations familiales aux familles de plus de deux enfants.
Ses ressources viennent des cotisations versées par les salariés et les employeurs. Lorsqu'elles sont insuffisantes, l'État donne le complément.
Les Français sont très attachés à la Sécurité sociale. Toutefois, certains trouvent les cotisations trop lourdes, d'autres s'inquiètent aujourd'hui de l'augmentation des dépenses de santé.

Manifestation pour la défense de la Sécurité sociale, en 1995.

La conquête de l'espace

Une rivalité entre Soviétiques et Américains

LES PRINCIPALES DATES DE LA COURSE À L'ESPACE

04. 10. 57 : Spoutnik I (URSS) : premier satellite artificiel (84 kg).

03. 11. 57 : Spoutnik II (URSS) : premier être vivant placé en orbite terrestre (la chienne Laïka).

07. 10. 59 : Luna III (URSS) : premières photographies de la face cachée de la Lune.

12. 04. 61 : Vostok I (URSS) : premier homme en orbite (Youri Gagarine).

18. 03. 65 : Voskhod II (URSS) : première sortie dans l'espace (Léonov).

24. 12. 68 : Apollo VIII (USA) : un vol habité contourne la Lune.

21. 07. 69 : Apollo XI (USA) : Armstrong et Aldrin marchent sur la Lune.

07. 75 : arrimage dans l'espace d'une capsule Apollo et d'un vaisseau Soyouz (poignée de main entre le Russe Léonov et l'Américain Stafford).

12. 04. 81 : Columbia (USA) : premier véhicule aérospatial réutilisable.

13. 05. 82 : Saliout VII (URSS) : Lebedev et Berezovoï séjournent 211 jours dans l'espace.

Le cosmonaute Youri Gagarine.
En 1961, Gagarine fait un tour complet autour de la Terre. Cette victoire de la technologie soviétique inquiète les Américains.

Les premiers hommes sur la Lune (1969).
Aldrin photographié par Armstrong. Le véhicule spatial se reflète dans la visière de l'astronaute. Un exploit réalisé grâce aux grands progrès de la science et de la technique. Jusqu'en 1972, douze hommes iront sur la Lune, ils ramèneront 385 kg de roches.

Dans les débuts de la conquête spatiale, l'avantage est nettement pris par les Soviétiques. En 1961, le président Kennedy donne la priorité à l'espace : « Notre pays doit se vouer tout entier à cette entreprise : faire atterrir un homme sur la Lune et le ramener sain et sauf sur la Terre avant la fin de la présente décennie ». La Lune va devenir un des « champs de bataille » de la « guerre froide » que se livrent les deux pays.

d'après Jacques Villain, *La course à la Lune : une histoire réécrite.*

En 1975, la rencontre de Léonov et Stafford dans l'espace après l'arrimage de leurs vaisseaux. ▶

LES RELATIONS NORD-SUD

Un dialogue difficile entre pays riches et pays pauvres

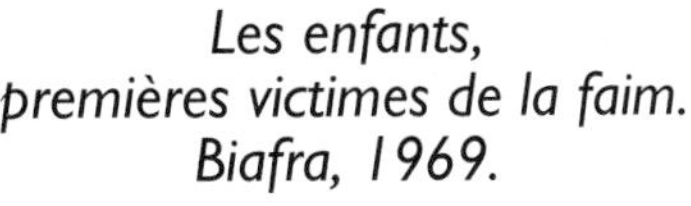

Les enfants, premières victimes de la faim. Biafra, 1969.

Smoky Mountain, « la montagne fumante », une gigantesque décharge aux Philippines.

Des réfugiés kurdes, au Kurdistan iranien.

L'aide technique au développement.

Une caricature de Plantu, Pas nette la planète, *1984.*

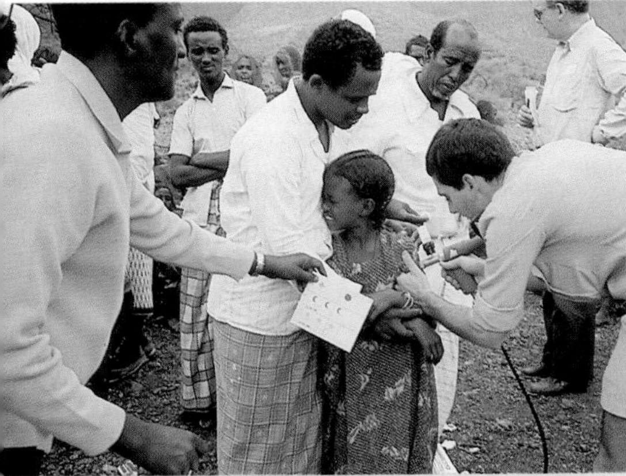

L'aide médicale : une campagne de vaccination à Madagascar.

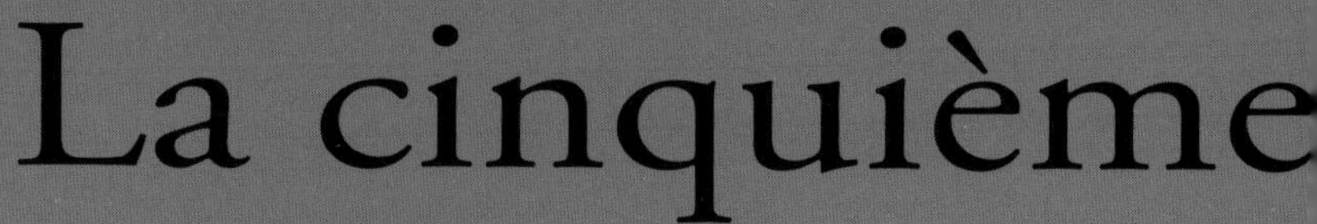

Extraits de la Constitution de 1958 (modifiée en 1962)

Titre II – Le président de la République

Article 3 - Le président de la République est élu pour sept ans au suffrage universel direct.

Art. 5 - Le président de la République veille au respect de la Constitution […]

Il est le garant de l'indépendance nationale, de l'intégrité du territoire, […] du respect des traités.

Art 8 - Le président de la République nomme le Premier ministre […]

Art. 9 - Le président de la République préside le Conseil des ministres […]

Art. 12 - Le président de la République peut, après consultation du Premier ministre et des présidents des Assemblées, prononcer la dissolution de l'Assemblée nationale […]

Art. 15 - Le président de la République est le chef des armées…

La campagne pour le référendum de 1962.
De Gaulle proposait aux Français d'élire le président de la République au suffrage universel. Pour la première fois, des panneaux publicitaires privés étaient utilisés pour un usage politique.

République

Revenu au pouvoir en 1958, lors de la crise algérienne, le général de Gaulle fonda la Ve République. Quarante années après, les Français restent attachés à leur Constitution.

Observe la photographie.

1. Qu'est-ce qu'un référendum ? Recherche le sens de ce mot.

2. Que montre la photographie ? Quelles sont les opinions exprimées sur les affiches ? Termine la phrase dont la fin est cachée par d'autres affiches : « Oui c'est vous qui élirez … »

Lis ces quelques articles extraits de la Constitution française.

3. Qu'est-ce que la Constitution ?

4. Quels sont les différents pouvoirs du président de la République.

5. Quel est l'article qui montre que le président de la République dirige la politique extérieure de la France ?

6. Quand a eu lieu la dernière élection du président de la République au suffrage universel ?

La cinquième République

En 1958, le général de Gaulle fit approuver par le peuple la Constitution de la Ve République. Cette Constitution fait du président de la République le principal personnage de l'État. Depuis 1958, cinq présidents se sont succédé, mais les grands choix politiques de la France sont restés les mêmes : modernisation et indépendance de la France, construction européenne, aide aux pays pauvres.

Le président de la République, premier personnage de l'État

En 1958, le général de Gaulle revint au pouvoir. Il proposa une nouvelle constitution au peuple français qui l'accepta massivement par référendum. Désormais, le président de la République est élu pour sept ans au suffrage universel. Ainsi, il est assuré du soutien de la majorité des Français. Il est le chef de l'État et il nomme le Premier ministre qui conduit le gouvernement. L'Assemblée nationale et le Sénat votent les lois et le budget. Les députés qui soutiennent l'action du gouvernement forment la majorité de l'Assemblée nationale. Les députés de l'opposition exercent leur droit de critique.
Si le gouvernement perd la majorité à l'Assemblée nationale, il est renversé. Le président de la République peut dissoudre l'Assemblée nationale.

La fin de l'empire colonial français

Depuis la fin du XIXe siècle, la France possédait le deuxième empire colonial du monde.
Après la Seconde Guerre mondiale, les peuples colonisés qui avaient aidé les Alliés exigèrent leur indépendance.
En 1954, après un échec militaire, la France dut abandonner l'Indochine. Sous la Ve République, au temps du général de Gaulle, elle abandonna l'essentiel de son empire colonial. Si l'Afrique noire obtint son indépendance sans violence, la séparation de la France et de l'Algérie fut douloureuse. De nombreux Français et Algériens furent victimes d'une longue guerre, de 54 à 62. Près d'un million de Français d'Algérie, les « pieds-noirs », durent abandonner leur terre natale.

Indépendance de la France, construction de l'Europe et présence dans le monde

Face à la division du monde en deux blocs, la France voulut garder son indépendance.
Le général de Gaulle dota la France de l'arme nucléaire pour qu'elle assure elle-même sa protection. Plus tard, dans les années 70, la France voulut son indépendance énergétique et construisit des centrales électriques nucléaires.
Les présidents de la Ve République ont été des défenseurs de l'idée européenne en faisant de l'entente franco-allemande l'axe fort de l'Europe. Ils ont favorisé l'élargissement de la Communauté européenne à d'autres pays.
À la demande de l'ONU, dont elle est membre permanent depuis sa formation en 1945, la Franc envoie des « casques bleus » pour tenter de rétabli la paix dans certains pays du monde. Elle aide les pays pauvres à se développer, surtout ses ancienne colonies d'Afrique, en envoyant des capitaux et des techniciens. Par la recherche scientifique, elle participe aux grands projets qui rassemblent les grande puissances actuelles (recherche médicale, conquêt de l'espace...).

Concorde.
1969, le supersonique franco-britannique Concorde témoigne du haut niveau technologique de la France et de l'importance de la coopération européenne.

Notions

• L'indépendance

C'est la volonté d'un peuple à rejeter la domination d'un État étranger. Cette domination peut avoir diverses formes : politique, militaire, économique, culturelle. L'indépendance permet à une colonie de devenir un État souverain choisissant librement sa forme de gouvernement, et se donnant ses signes de reconnaissance : hymne, drapeau… Pour les pays déjà indépendants, comme la France, l'indépendance est le fait de ne pas dépendre d'un autre pays, en particulier au niveau économique ou militaire.

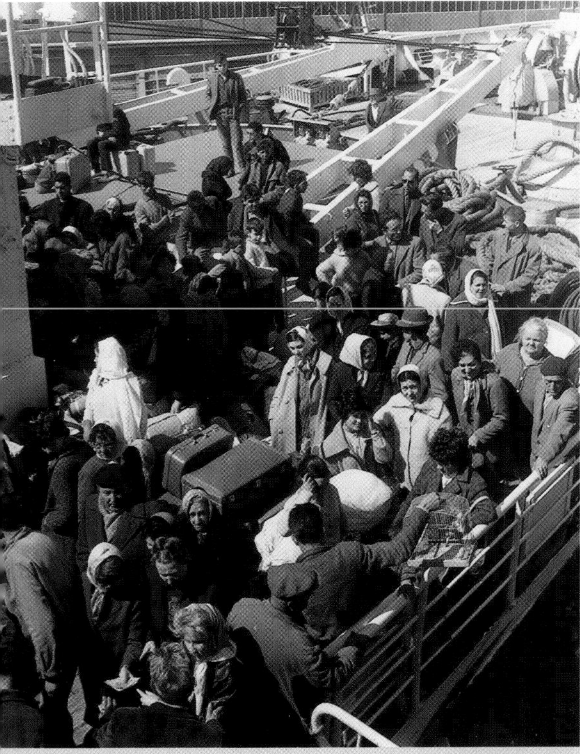

tour des pieds-noirs.
962, des milliers de rapatriés d'Algérie arrivent à eille. Un service de liaisons spéciales est mis en entre la France et l'Algérie. Chaque bateau amène ouveaux rapatriés.

LES « GRANDS TRAVAUX » DES PRÉSIDENTS

À Paris, la réalisation du Centre Beaubourg, du musée d'Orsay, de l'Opéra-Bastille ou encore de la Cité des sciences et de l'industrie de la Villette, témoignent de la volonté des différents présidents de la République de mettre la culture à la portée de tous et de développer le rayonnement culturel de la France.

Le Centre Georges-Pompidou ou Beaubourg, fondé en 1977.
Ossature d'acier, parois de verre et couleurs vives en font un édifice d'avant-garde. À la fois bibliothèque et musée de l'art contemporain, le Centre reçoit 8 millions de visiteurs par an.

L'entrée du « Grand Louvre » inaugurée en 1988.
La pyramide de verre de l'architecte Pei couronne le Grand Louvre rénové et agrandi, aujourd'hui le plus grand musée du monde.

Les présidents de la Ve République

Charles de Gaulle
1890 - 1970

Élève de l'école d'officiers de Saint-Cyr, il entre dans la carrière militaire. Il participe comme officier aux deux guerres mondiales.
En 1940, il est nommé général et devient membre du gouvernement.
En juin 1940, il n'accepte pas l'armistice signé par le maréchal Pétain et part à Londres où il appelle à poursuivre le combat.
En 1944, il forme et préside le Gouvernement provisoire de la République. Il fait une entrée triomphale dans Paris libéré en août.
En 1946, il démissionne du gouvernement.
En 1958, en pleine guerre d'Algérie, il est rappelé au pouvoir. Il fait voter la Constitution de la Ve République dont il devient le premier président.
Réélu au suffrage universel en 1965, son pouvoir est affaibli par les manifestations de 1968. Il démissionne en 1969 et se retire de la vie politique.

Georges Pompidou
1911 -1974

Agrégé de grammaire, professeur jusqu'en 1944, il devient conseiller du général de Gaulle.
En 1958, le général de Gaulle le rappelle auprès de lui.
Il est Premier ministre de 1962 à 1968. Élu président de la République en 1969, son septennat est interrompu par sa mort en avril 1974.

Valéry Giscard d'Estaing
Né en 1926.

Il est polytechnicien et énarque.
Député du Puy-de-Dôme en 1956, il est ministre des Finances de 1962 à 1966 puis en 1969.
Il est élu président de la République en 1974.
À nouveau candidat en 1981, il est battu par François Mitterrand, mais continue à jouer un rôle dans la vie politique française.

François Mitterrand
1916 -1996.

Il fait des études de droit et devient avocat.
Élu député de la Nièvre en 1946, il est plusieurs fois ministre dans les gouvernements de la IVe République.
Il s'oppose au retour de de Gaulle en 1958 et à la Constitution de la Ve République.
Il est candidat aux élections présidentielles de 1965 et 1974.
Élu président de la République en 1981, réélu en 1988, il est le premier président socialiste de la Ve République et le seul président à avoir accompli deux septennats.

Jacques Chirac
Né en 1932.

Il est énarque.
Élu député de la Corrèze en 1967, il devient maire de Paris en 1977.
Fondateur du RPR, il est deux fois Premier ministre, en 1974 et 1986.
Il est candidat aux élections présidentielles de 1981 et 1988 et élu président de la République en 1995.

La France dans le monde

La France et l'ONU

Pendant la guerre, les Américains et les Anglais eurent l'idée d'une organisation internationale chargée d'empêcher le retour de la guerre.

La Charte des Nations unies 26 juin 1945
(extraits)

Article premier. Les buts des Nations unies sont les suivants :
- Maintenir la paix et la sécurité internationales…
- Développer entre les nations des relations amicales…
- Réaliser la coopération internationale en résolvant les problèmes internationaux d'ordre économique, social, intellectuel ou humanitaire ..., et en encourageant le respect des droits de l'homme et des libertés fondamentales pour tous sans distinction de race, de sexe, de langue ou de religion.

L'ONU regroupe presque tous les États de la planète. Les délégués des États membres forment l'Assemblée générale, sorte de parlement mondial, dont le siège est à New-York. L'Assemblée générale élit le Secrétaire général. Le Conseil de sécurité est chargé d'envoyer des troupes dans le monde pour maintenir la paix : les casques bleus. Cinq États font partie en permanence du Conseil de sécurité : les U.S.A., la Russie, la Chine, le Royaume-Uni et la France.

Des casques bleus en Bosnie dans une opération de déminage en 1994.
Environ 70 000 casques bleus sont aujourd'hui engagés dans une vingtaine de pays du monde comme observateurs ou pour tenter de maintenir la paix. Parmi eux, on compte près de 10 000 Français.

L'aide humanitaire

S'agissant de la lutte contre le sous-développement ou contre la faim, c'est d'abord aux organisations non gouvernementales (O.N.G.) que les opinions publiques occidentales accordent leur confiance. [...]. Les O.N.G. en France se comptent par milliers [...]. Le montant de leurs ressources financières s'élève à un milliard trois cents millions de francs [...]. 69 % de ces ressources sont transférées dans les pays pauvres. L'Afrique en absorbe la moitié.

C. Condamines, *Les Robins des bois du développement*, dans *L'État du monde* 1987-1988.

◀ *L'aide alimentaire d'urgence fournie par la France à la Somalie en 1992.*

La chute du mur de Berlin, le 9 novembre 1989

Un événement historique, c'est un événement important pour l'histoire d'une région, d'un pays ou du monde. Pour le comprendre, il faut l'étudier méthodiquement. L'organisation sur une frise chronologique des informations recueillies permet une bonne présentation de l'événement.

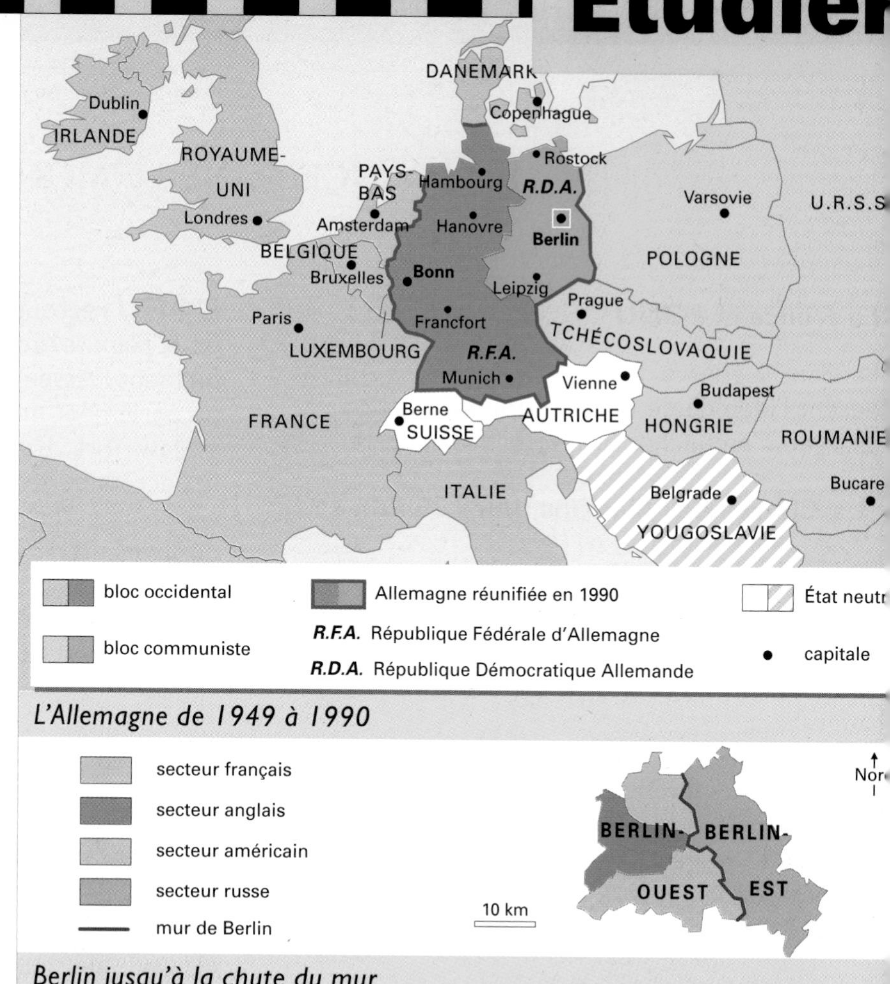

L'Allemagne de 1949 à 1990

Berlin jusqu'à la chute du mur

Quelques repères chronologiques :

1945 : défaite de l'Allemagne. ***Occupation*** du pays par les Alliés victorieux : USA, France, Royaume-Uni, URSS.

La ville de Berlin est divisée en 4 secteurs.

1949 : ***division*** de l'Allemagne en deux États : R.F.A. et R.D.A. Berlin reste divisé et occupé.

1961 : construction du « mur de Berlin » par la R.D.A. pour mettre fin à la fuite des habitants de Berlin-Est vers Berlin-Ouest.

1989, sept.-nov. : manifestations de rues à Berlin-Est pour des réformes et des libertés.

1989, 9 novembre : le gouvernement de R.D.A. décide l'ouverture des frontières et la destruction du « mur ».

1990, 3 octobre : ***réunification*** de l'Allemagne.

- Reporte-toi à la leçon 14, *Un siècle de guerres*. Comment a-t-on appelé la période d'affrontements des deux blocs , Quand débute cette période ? Quand prend-elle fin ?
- Quelles sont les trois situations connues par le territoire allemand de 1945 à nos jours ?

Un peuple, deux pays

- Observe la carte.

De quel bloc faisait partie la République Fédérale Allemande (R.F.A.) ? Et la République Démocratique Allemande (R.D.A.) ?

- Observe la situation de Berlin. Comment la ville est-elle divisée ? Cette situation te paraît-elle dangereuse ? Pourquoi ?

n événement historique

①

②

③

④

fin de la seconde guerre mondiale 1945 — 1950 — 1960 — 1970 — 1980 — 1990

guerre | Allemagne occupée | Allemagne divisée en deux États : R. F. A. et R. D. A. | Allemagne réunifiée

1949 — août 1961 — mur de Berlin — nov. 1989

① *Le mur.*
② *Le mur et la porte Brandebourg*
③ *L'ouverture du mur*
④ *Le 12-11-89.*

L'événement

Documents ① et ②
Le mur de Berlin : une clôture de 45 km de long

- Quelle est sa hauteur, environ ?
- De quel côté du mur ont été prises les photographies ?

Dans quelle partie de Berlin se trouve l'immeuble (①) ?

Documents ③ et ④
Novembre 1989 : l'ouverture du mur. Par milliers, les Berlinois de l'Est se rendent à Berlin-Ouest.

- Pendant combien d'années les habitants de Berlin-Est et de Berlin-Ouest n'ont-ils pas eu le droit de se rencontrer ?
- Combien de temps après l'ouverture du mur les deux Allemagnes sont-elles réunifiées ?
- Regarde la frise. Elle est composée de trois éléments : une ligne et deux bandes.

Explique à quoi est utilisé chacun des éléments.

Pour étudier un événement :

- réunir les documents ;
- consulter une chronologie ;
- situer l'événement dans l'espace ;
- ordonner les faits dans le temps ;
- trouver les causes et des conséquences à l'événement .

L'Europe en construction

Depuis 1950, les gouvernements français et allemands travaillent à la construction d'une communauté européenne. L'union des États européens doit rendre impossible une nouvelle guerre entre eux. Elle doit également constituer une puissance économique capable de faire face aux autres grandes puissances de la planète (États-Unis et Japon).

Un territoire, des capitales

Bruxelles : la Commission européenne

Strasbourg : le Parlement européen

Luxembourg : la Cour de justice européenne

- Quels sont les six pays à l'origine de l'Union européenne ?
- Quels sont les autres pays qui la composent aujourd'hui ?
- Quels sont les pays candidats à l'entrée dans l'Union européenne ?
- Nomme les capitales de cette Europe.

Près de 50 ans de construction européenne

Les principales dates de la construction européenne

1951 : Communauté européenne du charbon et de l'acier (C.E.C.A.) entre la Belgique, la France, l'Italie, le Luxembourg, les Pays-Bas et la République Fédérale d'Allemagne.

1957 : signature du Traité de Rome par « les Six », créant la Communauté économique européenne (C.E.E.).

1962 : mise en place de la Politique agricole commune (P.A.C.) entre les six pays.

1979 : premières élections du Parlement européen au suffrage universel.

1992 : signature du traité de Maastricht, créant l'Union européenne (U.E.) et instituant l'Union économique et monétaire.

Panneau de frontière entre la France et un autre pays de l'U.E.

- Combien d'années se sont écoulées depuis la naissance de la Communauté économique européenne ?
- Quels sont les événements qui te paraissent les plus importants ? Donne tes raisons.

Passeport européen.

Le traité de Maastricht

La campagne électorale pour le référendum sur le Traité de Maastricht, en France, en 1992

Le président de la République française demande aux électeurs de se prononcer au suffrage universel sur le traité créant l'Union européenne (traité de Maastricht).

- Combien reconnais-tu d'affiches pour le oui ? pour le non ?
- Quels sont les partis politiques qui s'expriment sur ces affiches ?
- Quels sont les arguments favorables au oui ? au non ?

Les résultats du vote : une France coupée en deux

- Y a-t-il une grosse différence entre les oui et les non ?
- Comment peut-on expliquer le titre donné à ce graphique ?

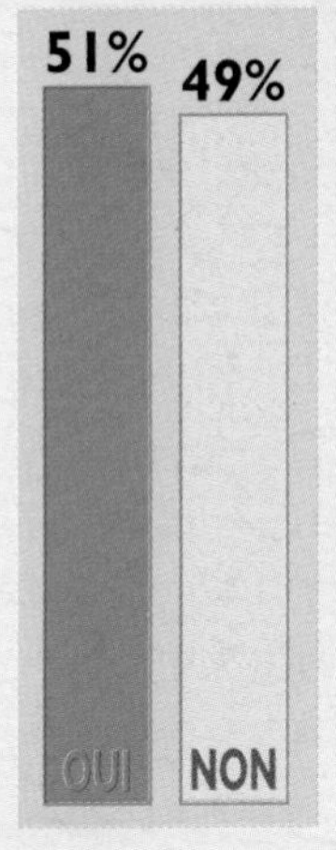

L'Europe en construction

Des difficultés pour l'Union européenne

Les difficultés de la politique agricole commune

Des agriculteurs français détruisent un chargement de fruits arrivant de l'étranger.

Sus à la fraise espagnole !

Hier, vers 18 h, environ 150 Lot-et-Garonnais réunis par le Comité de défense des fruits et légumes, sont partis en croisade contre la fraise espagnole « qui nous envahit ». Des chiffres circulaient : 800 à 1 000 tonnes de fraises par jour, payées à 5 francs aux producteurs d'Outre-Pyrénées. En France, la production démarre juste : quelques dizaines de tonnes par jour. Les prix n'ont rien à voir : 15 à 17 francs pour la « ronde » et 22 à 24 francs pour « la Gariguette ». [...] Les membres du Comité ont pris l'autoroute en direction du péage de Narbonne-Sud ; [...] l'objectif était d'intercepter quelques camions de fraises espagnoles et de les vider.

Sud-Ouest, 21 avril 1995.

- Peux-tu voir la nationalité du camion ? Ce pays fait-il partie de l'U.E. ?
- Quels produits détruisent-ils ?
- Après avoir lu l'article, comment peux-tu expliquer ce genre d'événements ?

L'Europe face au chômage

- Quelle est la période représentée sur ce graphique ?
- Y a-t-il un pays dont le taux de chômage a diminué entre 1990 et 1995 ?
- Construis un graphique sur le chômage dans l'ensemble de l'Europe des Douze avec les données ci-dessous :

1989 : 9%
1992 : 9,4%
1994 : 11,4%

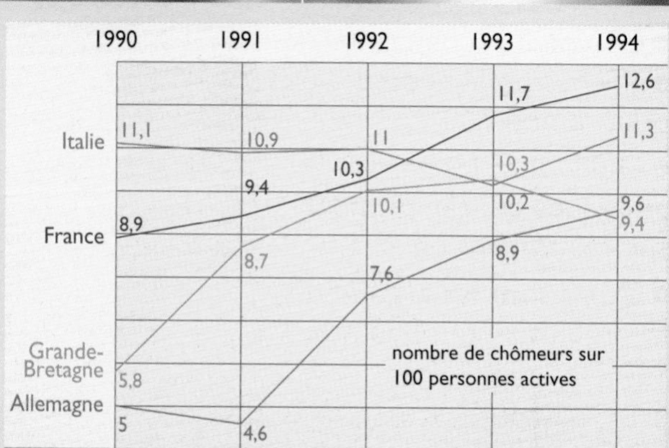

Évolution du chômage dans quelques pays de l'Union européenne.

Des réalisations de l'Union européenne

- Quels sont les États qui participent à la construction de l'Airbus ?
- Où sont assemblées les différentes parties d'Airbus ?
- Cite leur provenance.

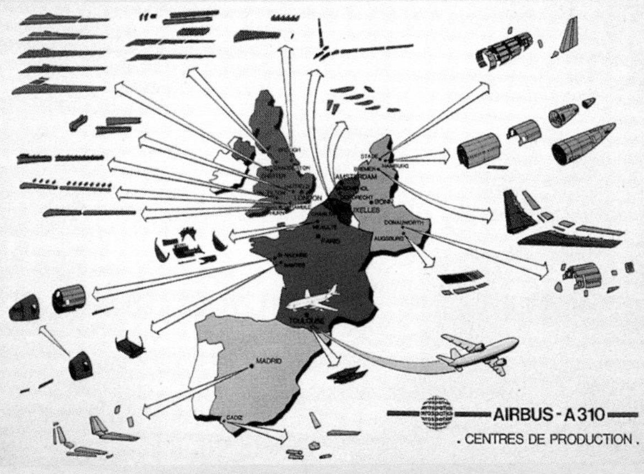

Airbus, un succès européen

Assemblage d'un Airbus A320 à Toulouse

L'aide alimentaire de l'Union européenne au Soudan

- De quelle aide s'agit-il ici ?
- Situe ce pays sur un atlas.

Résume la construction européenne à partir des dates et événements qui te paraissent les plus importants.

1

2

6

ILS DONNENT LEUR SA
DONNEZ VOTRE TRAVA
pour sauver l'Europe du Bolchevis

3

4

5

FACTICE
TOUT EST FACTICE

LIBERATIO

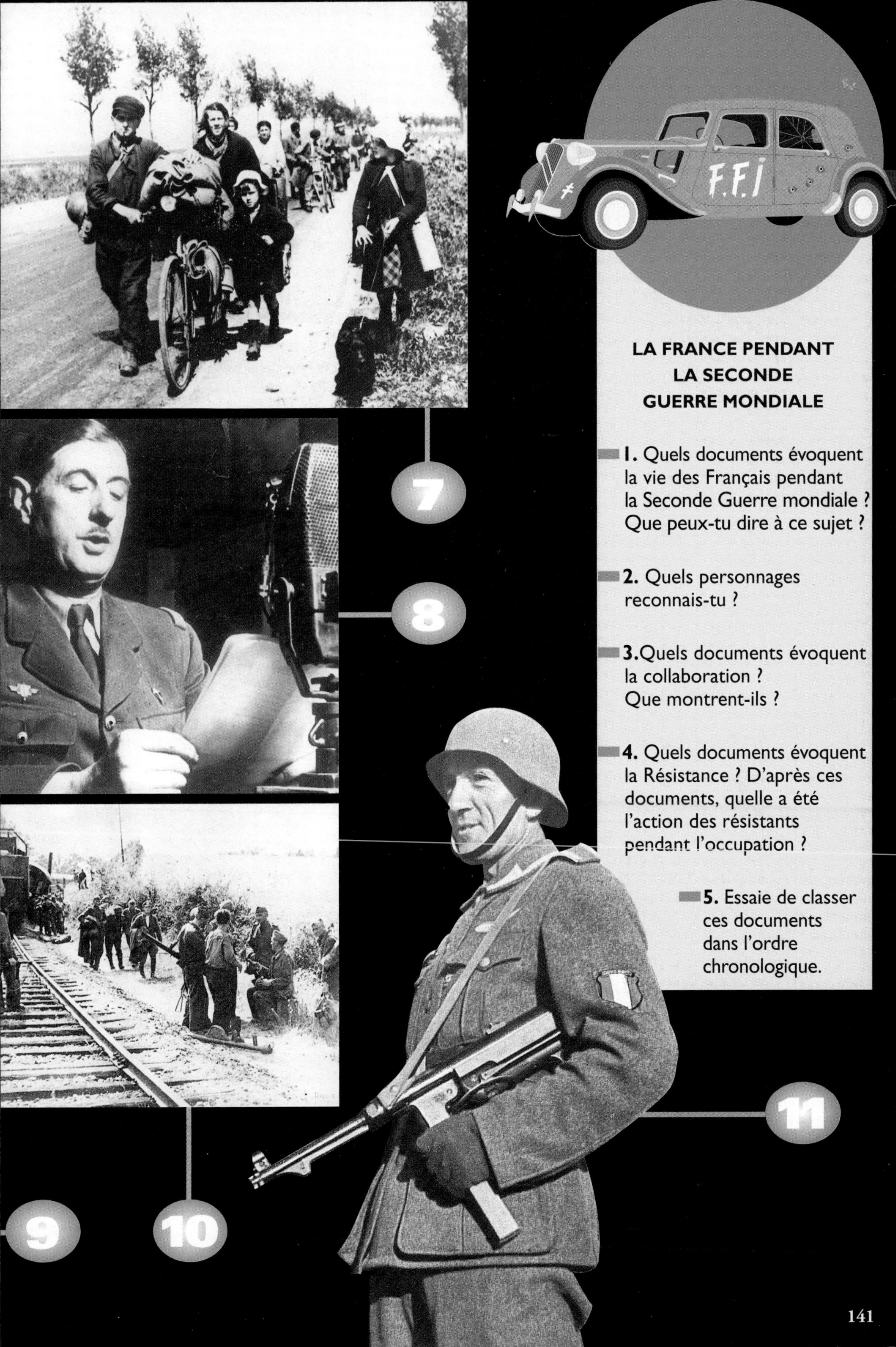

LA FRANCE PENDANT LA SECONDE GUERRE MONDIALE

1. Quels documents évoquent la vie des Français pendant la Seconde Guerre mondiale ? Que peux-tu dire à ce sujet ?

2. Quels personnages reconnais-tu ?

3. Quels documents évoquent la collaboration ? Que montrent-ils ?

4. Quels documents évoquent la Résistance ? D'après ces documents, quelle a été l'action des résistants pendant l'occupation ?

5. Essaie de classer ces documents dans l'ordre chronologique.

Les mosaïques d'images

Nos racines méditerranéennes *pages 30/31*

① Athènes, le Parthénon de l'Acropole (Ve siècle av. J.-C.).
② Delphes, L'*aurige* (conducteur de char) en bronze (478 av. J.-C.).
③ Rome, la louve du Capitole, bronze étrusque du Ve av. J.-C. Les statuettes des enfants (Romulus et Rémus, personnages légendaires, fondateurs de Rome) datent du XVe siècle.
④ Rome, le Colisée. Achevé en 80 ap. J.-C., cet amphithéâtre pouvait contenir jusqu'à 100 000 spectateurs.
⑤ Istanbul, l'église Sainte-Sophie. Ancienne basilique de Constantinople, construite de 532 à 537. En 1453, les Turcs la transformèrent en mosquée et y ajoutèrent des minarets.
⑥ Pompéi, portrait de couple, fresque. Fondée au VIe siècle av. J.-C., la ville de Pompéi fut ensevelie sous les cendres et les roches volcaniques lors de l'éruption du Vésuve, en 79 ap. J.-C.
⑦ Rome, le Panthéon. Temple achevé en 27 av. J.-C., transformé en église en 609.
⑧ Jérusalem, vue du Mont des Oliviers, où Jésus alla prier la veille de sa mort.
⑨ Épidaure, le théâtre, du IVe siècle av. J.-C. Un des plus beaux théâtres grecs antiques.
⑩ Icône à l'encaustique du VIe siècle. Couvent Sainte-Catherine (fondé en 527) du Mont Sinaï.

Le temps des cathédrales *pages 56/57*

① Le chœur de la cathédrale Saint-Pierre de Beauvais, XIIIe-XIVe.
② La cathédrale de Reims, commencée en 1211 et achevée à la fin du XIIIe (les tours n'ont été terminées qu'au XVe).
③ La verrière de Notre-Dame de Paris.
④ Le palmier, voûte de l'église des Jacobins de Toulouse, (fin XIIIe).
⑤ Notre-Dame de Paris, commencée en 1163 et teminée, pour le gros œuvre, en 1250.
⑥ La nef de la cathédrale Saint-Étienne de Bourges (XIIIe).
⑦ La voûte de Saint-Étienne de Bourges.
⑧ Un détail du vitrail de la Chanson de Roland, de la cathédrale de Chartres (XIIe-XIIIe). Charlemagne chevauche, flanqué du comte Roland et de Turpin, archevêque de Reims, en route pour leur légendaire campagne contre les «païens».
⑨ L'ange de l'Annonciation, de la cathédrale de Reims.

Le règne d'Henri IV *pages 88/89*

① Sully (1560-1641), protestant, ami et conseiller d'Henri IV. Il redressa les finances du pays. Il favorisa l'agriculture qu'il considérait comme la richesse fondamentale de la France et développa le commerce en faisant construire des routes et des canaux (tableau du premier quart du XVIIe).
② Le mois d'octobre. Émail peint de Pierre de Courteys.
③ Marguerite de Valois (1553-1615), reine de Navarre, puis de France, surnommée la reine Margot. Elle épousa Henri de Navarre en 1572. Devenu Henri IV, roi de France, celui-ci fit annuler son mariage en 1599 (portrait peint par Clouet).
1589 / La bataille d'Arques, le 21 septembre 1589 (toile de l'école française du début du XVIIe).
1593 / L'abjuration d'Henri IV (toile du XVIe).
fév. 1594 / Le sacre d'Henri IV à Chartres, le 27 février 1594.
mars 1594 / L'entrée d'Henri IV dans Paris, le 22 mars 1594.
mai 1610 / L'assassinat d'Henri IV.
1610 / Le supplice de Ravaillac.

Des progrès techniques tout au long du XIXe siècle
pages 114/115

1848 / La locomotive *Crampton*, qui atteignait 120 km/h en 1848.
1851 / Le *Franklin*, bâteau à vapeur (steamer) américain, en 1851.
1860 / Le métier à tisser mécanique, actionné par un moteur à vapeur (gravure de 1860).
1867 / Un canon allemand fabriqué par l'industriel Krupp, à l'Exposition Universelle de Paris, section de la métallurgie prussienne, dans la grande galerie des machines, en 1867.
1880 / Un clipper, le *William Lawrence*, à coque métallique. Les clippers assurèrent l'essentiel du trafic maritime jusqu'en 1870-80 (aquarelle de1881).
1890 / Le premier vol de l'*Éole*, le premier avion de Clément Ader en 1890, dans le château d'Armainvilliers.
1900 / L'exposition universelle de 1900 à Paris. Le palais de l'electricité au Champ de Mars, dynamos et moteurs (sections françaises).
1901 / Affiche publicitaire de Henri Thiriet de 1901 pour la voiture de Dion-Bouton, petite voiture à 6 chevaux à 3 900 F. La Belle Otero conduisant une voiture « populaire », à ses côtés michel Zélélé, valet du marquis de Dion.
1904 / La centrale téléphonique « Opéra » à Paris, en 1904.

La France pendant la Seconde Guerre mondiale
pages 140/141

① Oradour-sur-Glane, aujourd'hui.
Le 10 juin 1944, les Nazis massacrèrent 642 habitants en représailles des attaques des Résistants. Ils fusillèrent les hommes et incendièrent l'église où ils avaient rassemblé les femmes et les enfants.
② Écoliers écoutant un discours du maréchal Pétain à la radio, en octobre 1941.
③ Parachutage d'armes à Cluny (Saône-et-Loire), le 14 juillet 44.
④ Le rationnement.
⑤ La « poignée de mains de Montoire » lors de l'entrevue Hitler-Pétain, le 24 octobre 1940.
⑥ Affiche pour le STO. Le Service du travail obligatoire fut institué par le gouvernement de Vichy afin de procurer de la main-d'œuvre aux usines allemandes.
⑦ L'exode de 1940.
⑧ De Gaulle à la BBC.
⑨ La Libération.
⑩ Sabotage de voies ferrées par la Résistance.
⑪ Légion des volontaires français.

Notions

Abbaye (une) 47
Alliés (les) 119
Artisan (un) 93
Barbares (les) 21
Bourgeoisie (la) 67
Cadastre (le) 79
Cahiers de doléances (les) 73
Camps d'extermination (les) 119
Censure (la) 73
Chevaliers (les) 41
Citoyen (un) 15
Civilisation (une) 15
Code Civil (le) 79
Colonies (les) 105
Constitution (la) 73
Coup d'État (un) 79
Coutume (une) 21
Croisades (les) 47
Croissance économique (la) 125
Démocratie parlementaire (une) 99
Droit divin (le) 67
Dynastie (une) 35
Église (l') 41
Empire (un) 21
États généraux (les) 73
Exode rural (l') 93
Féodalité (la) 41
Grande industrie (la) 93
Hérétique (un) 47
Indépendance (l') 131
Islam (l') 35
Missionnaire (un) 105
Monarchie (la) 41
Nazi 119
Néolithique (le) 9
Noblesse (la) 67
Paléolithique (le) 9
Philosophes (les) 73
Préhistoire (la) 9
Réforme (la) 61
Renaissance (la) 61
Résistance (la) 119
Syndicat (un) 93
Vassal (un) 35

Couverture Musée de la Marine, Paris/Josse-Versailles/Josse **6/7** C. Springmann-Black Star/Rapho **8h** MAN, Saint-Germain-en-Laye/RMN **8c** MAN, Saint-Germain-en-Laye/RMN **8b** MAN, Saint-Germain-en-Laye/RMN **9bg** MAN, Saint-Germain-en-Laye/RMN **9bd** Musée National de Stockholm/J. Vertut **9hd** F. Perri-Cosmos **10hd** L. Bessol/M.N.H.N **10hg et bg** dessin A. Fournier, laboratoire de préhistoire de l'université de Provence, Marseille **10bc** Coll. Musée de l'Homme/M. Delaplanche **11** P. Vauthey-Sygma **12/13** Louvre, Paris/E. Lessing-Magnum **14** Rheinnisches Landesmuseum, Trêves/E. Lessing-Magnum **15g** B. Beaujard **15d** De Richemond-Pix **16** Musée Crozatier, Puy-en-VelayGiraudon **17** British Museum **18/19** Musée de Halle, Allemagne **21g** coll. et cl. Musée Dauphinois **21d** RMN **22** Gisèle Namur **23** Hachette **24/25** ① MAN, Saint-Germain-en-Laye/RMN ② RMN-G. Blot ③ MAN, Saint-Germain-en-Laye/RMN ④ MAN, Saint-Germain-en-Laye/RMN-P. Pitrou ⑤ Service archéologique cantonal, Fribourg ⑥ MAN, Saint-Germain-en-Laye/RMN ⑦ coll. musée archéologique, Lons le Saulnier/C. Huyghens ⑧ Musée de Picardie, Amiens/J.-L. Boutillier **26 à 29** Y. Travert-Diaf **26** Site archéologique du Pâtural, Clermond Ferrand/fouille et cliché J. Dunkley **27hd** © Bibracte, cliché Antoine Maillier **27cg** J.-C. Golvin/Ed. Errance **27bg** Musée régional, Kolin/E. Lessing-Magnum **27bd** Musée municipal, Épernay **28hg** Musée de Langres/Studio Photo Lesein **28bg** British Museum, Londres/E. Lessing-Magnum **28bd** British Museum, Londres/E. Lessing-Magnum **29hg** MAN, Saint-Germain-en-Laye/RMN **29hd** Musée National, Copenhague/E. Lessing-Magnum **29bd** Musée archéologique, Dijon/E. Lessing-Magnum **30/31** ① D. Thierry-Diaf ② M. Serraillier-Top ③ Musée du Capitole, Rome/Dagli Orti ④ G. Rossi-Image Bank ⑤ G. Degeorge ⑥ Musée archéologique, Naples/Dagli Orti ⑦ G.A. Rossi-Altitude ⑧ Chris Kutschera ⑨ J. Zuckerman/Westlight/Cosmos ⑩ D. Genet **32/33** Archives du Dôme, Modène/Dagli Orti **34** Musée de la tapisserie, Bayeux/Josse **35g** Bibliothèque Nationale, Tunis/Lauros Giraudon **35d** British Library, Londres **36** Hachette **37** BN, Paris **38/39** BN, Paris/Josse **40** BN, Paris. **41g** BN, Paris/Photothèque Hachette **41d**J.M. Charles-Rapho **42** Bibliothèque royale Albert Ier, Bruxelles **43** Archives Nationales/J. Vigne **44/45** Bibliothèque municipale de Lyon/Edimédia **46** Giraudon **47g** Bibliothèque de l'Escorial, Madrid/Arxiu Mas **47d** R. Tixador-Top **48** Musée Condé, Chantilly/Lauros Giraudon **49** Archives nationales/J. Vigne **50/51** ① Meauxsoone ② ③ H. Champollion-Top **52 à 55** J.-M. Blache-Diaf **52** Chantilly/Josse **53h** British Library, Londres **53b** BN, Paris **54hg** G. Sioen-Rapho **54hd** Bibliothèque de l'École des Beaux Arts, Paris/Giraudon **54bd** BN, Paris/Josse **55** Bibliothèque municipale, Troyes/P. Jacquinot **56/57** ① ② ④ ⑨ J. Mazenod, l'Art gothique, Éditions Citadelles, Paris ③ M. Cogan-Top ⑤ H. Champollion-Top ⑥ ⑦ H. Champollion-Top ⑧ Cathédrale de Chartres **58/59** Musée des Offices, Florence/Dagli Orti **60** N. Hautemanière-Scope **61g** Musée des Offices, Florence/Dagli Orti **61d** M. Guillard-Scope **62bg** Musée Condé, Chantilly/Josse **62hd** Musée Condé, Chantilly/Lauros Giraudon **63** Musée des Beaux-Arts, Lausanne (Suisse)/Artephot-Held **64/65** Louvre, Paris/RMN **66** BN, Paris/Josse **67g** BN, Paris/Photothèque Hachette **67d** Everts-Rapho **68g** Comédie française, Paris/Josse **68d** BN, Paris/Josse **69** Versailles/Photothèque Hachette **70/71** Musée Carnavalet, Paris/Charmet **73g** Musée Carnavalet, Paris/Edimédia **73d** Musée Carnavalet, Paris/Charmet **74** Archives Snark/Edimédia **75hd** Louvre, Paris/Charmet **75bd** BN, Paris/Edimédia **75bg** Musée Carnavalet, Paris/Josse **76/77** Versailles/Josse **78** Charmet **79g** Prado/Josse **79d** Fondation Dosne-Thiers, coll. F. Masson/Dagli Orti **80hg** Musée de l'Armée, Paris **80hd** Musée de la Marine, Paris/Dagli Orti **80bd** Musée de l'Armée, Paris/Josse **81hg/hd** BN, Paris/Tallandier **81cd** Bibliothèque des Arts Décoratifs, Paris/Dagli Orti **81bg** Bibliothèque des Arts Décoratifs, Paris/Charmet **81bd** Versailles/Josse **82/83** ① Archives départementales du Lot-et-Garonne ② Musée Carnavalet, Paris/Charmet ③ Musée Condé, Chantilly/Lauros Giraudon **84 à 87** Darman-Campagne Campagne **84hg** P. Gaudon **84bd** Musée Carnavalet, Paris/Dagli Orti **85h** Versailles/Josse **85b** BN, Paris **86b** Photothèque Hachette **87h** Bibliothèque Ste-Geneviève, Paris/Charmet **87b** Bibliothèque des Arts décoratifs, Paris/Charmet **88/89** ① Musée Condé, Chantilly/Lauros Giraudon ② Louvre, Paris/RMN ③ Musée Condé, Chantilly/Josse *1589* Versailles/RMN-G. Blot *1593* Musée d'Art et d'Histoire, Meudon *02/1594* BN, Paris/photothèque Hachette *03/1594* BN, Paris/photothèque Hachette *05/1610* BN, Paris/Josse *1610* Edimédia **90/91** Science Museum/Science & Society Picture Library, Londres **92** Bibliothèque Forney, Paris/Charmet-Explorer **93g** Bibliothèque des Arts décoratifs/Charmet **93hd** Musée Carnavalet, Paris/Charmet **94h** Musée d'Orsay, Paris/Josse **94b** ND-Viollet **95h** L'illustration/Sygma **95bg** coll. Viollet **95bd** Harlingue-Viollet **96/97** Musée carnavalet, Paris/Charmet **99hg** Tallandier **99bg** Volkwang Museum, Essen/Edimédia **99d** S. Cordier-Explorer **100b** Musée d'Art et d'Industrie, Saint Etienne/Roger-Viollet **101** Ministère de l'Éducation nationale/Charmet **101** Maison d'École de Montceau-les-Mines **102/103** Charmet **105hg** coll. particulière, photo Moulin/Charmet **105bg** coll. particulière/Edimédia **105hd** Musée d'Orsay, Paris/Josse **105cd** Jacksonville Art Museum, Floride/Superstock **105bd** Mus. of Modern Art, New-York/Giraudon/© Succession Picasso, 1996 **106hg** coll. particulière/Charmet **106hd** Charmet **106bd** Bibliothèque des Arts décoratifs/Charmet **107hg** Bibliothèque des Arts décoratifs, Paris/Charmet **107bg** Coll. Soazic-Explorer **107bd** Ullstein Bilderdienst **108/109** ① J. Dubout-Tallandier ② BN, Paris/coll. Viollet ③ coll. Viollet **110 à 113** Valdin-Diaf **110h** Musée d'Orsay, Paris/Dagli Orti **110b** BN, Paris **111hg** Charmet **111bd** Charmet **112hg** Cap-Viollet **112bd** Musée carnavalet, Paris/Charmet **113hg** Musée d'Orsay, Paris/Giraudon **113hd** coll. Viollet **113bd** A. Gesgon-CIRIP **114/115** *1848* Bibliothèque des Arts décoratifs, Paris/Dagli Orti *1851* Bibliothèque des Arts décoratifs, Paris/J. I. Charmet-*1860* Josse *1867* Charmet *1880* Musée de la Marine, Paris/Josse *1890* Charmet *1900* BN, Paris/Giraudon *1901* Musée national de l'automobile, Compiègne/Dagli Orti *1904* coll. particulière/Charmet **116/117** Tallandier **119g** Tallandier **119hd** Petzold. **119bd** Petzold. **120g** coll. Dazy/Edimédia **120hc** Musée de l'Armée, Paris/Dagli Orti **120bd** Wiit-Sipa Press **121h** US Air Force Photo/Edimedia **121b** Toshi Kitamura-Gamma **122/123** Ph. Plailly-Eurelios **124** Dufeu-Jerrican **125hg** Ph. Plailly-Eurelios **125bg** J. P. Amet-Sygma **125hd** Tallandier **125bd** B. Bisson-Sygma **126hg** Hulton Deutsch-Sipa Image **126hd** NASA-Sipa Press **126b** Salaber-Gamma Liaison **127hg** P. Lissac-CIRIC **127cg** A. Pinoges-CIRIC **127bg** Sidler-Gamma **127hd** Keystone **127cd** Kamran Jebreili-Vu **127bd** Plantu/La Découverte-Le Monde, 1984 **128/129** A.F.P. Photo **130** G. Uzan-Gamma **131g** Keystone **131hd** P. Forestier-Sygma **131bd** Y. Forestier-Sygma **132hg** © Documentation Française/photo J.-M. Marcel **132cg** © Documentation Française/photo F. Pages-Paris Match **132hd** © Documentation Française/photo J.-H. Lartigue **132cd** © Documentation Française/photo G. Freund **132bd** © Documentation Française/photo B. Rheims **133g** J. Nicolas-Sipa Press **133d** O. Jobard-Sipa Press **134/135** ① De Laubier-Pix ② R. Toulouse-Pix ③ E. Bouvet-Gamma ④ Chip Hires-Gamma ⑤ P. Piel/Gamma **136 à 139** C. Bravot-Diaphor **136g** Imedia **136c** Parlement Européen, Bruxelles **136d** J.-L. De Zorzi-Pix **137hd** H.P. Merten-Pix **137hc** C. de torquat/Pix **137bd** J. Demarthon-A.F.P. Photo **138** P. Parrot-Sygma **139hg** P.-D. Forestier-Explorer **139hd** P.-D. Forestier-Explorer **139bg** Peterson-Gamma Liaison **140/141** ① Beinat-Sipa Press ② Lapi-Viollet ③ coll. Viollet ④ R. Doisneau-Rapho ⑤ coll. R.A.F.D./Keystone ⑥ Josse ⑦ Keystone ⑧ Keystone ⑨ Keystone ⑩ Tallandier ⑪ coll. R.A.F.D./Keystone.

Références des textes : 6 H. Breuil in R. Huygue, *L'Art et l'homme*, Larousse, 1957 **12** Virgile, *L'Enéide*, VIII, texte établi par R. Durand, trad. D. Bellessort, Paris, Les Belles Lettres, 1936 **16** d'après *Commentaires sur la guerre des Gaules, Jules César*, VIII/IV, trad. L.A. Constans, Paris, Les Belles Lettres **16** d'après Plutarque, *Vie des hommes illustres grecs et romains, T .IX, Vie de J. César,* texte établi et trad. R. Flaceliere et E. Chambry, Paris, Les Belles Lettres, 1975 **17** Flavius Josèphe *Antiquités Judaïques*, trad. T. Renouard, Paris, 1900-1932 **18** d'après P. Petit, *Histoire générale de l'Empire romain*, Points-Histoire, éd. du Seuil, 1978 **23** R. Latouche, *Grégoire de Tours, Chronique de l'Histoire des Francs*, Paris, Les Belles Lettres, 1963 **38** Trad. de R. Boutruche, *Seigneurie et féodalité*, Aubier, 1959 **52** G. Duby, *Histoire de France, Le Moyen Âge*, Hachette 1987 **55** H. Pirenne, *Villes et Institutions urbaines*, 1939 **69** P. Goubert, *Louis XIV et vingt millions de Français*, Fayard, 1966 **84** P. Jacquin, in l'Histoire, n° 64, 1984 **110** A. Moulin, *Les paysans dans la société française*, Le Seuil, 1988 **116** A. Demangeon, *Le déclin de l'Europe*, Payot, 1920 **121** Mishihiko Hashiya, *Journal d'Hiroshima*. Albin Michel **122** J. Boissonnat, *Rendez-vous avec l'histoire*. Calmann-Lévy, 1995 **126** d'après J. Villain, *La course à la Lune : une histoire réécrite*. Universalia 1995 **133** C. Condamines, *Les Robins des bois du développement*, in *L'Etat du monde 1987-1988*, La Découverte, 1987.

7

L'industrie française en 1914

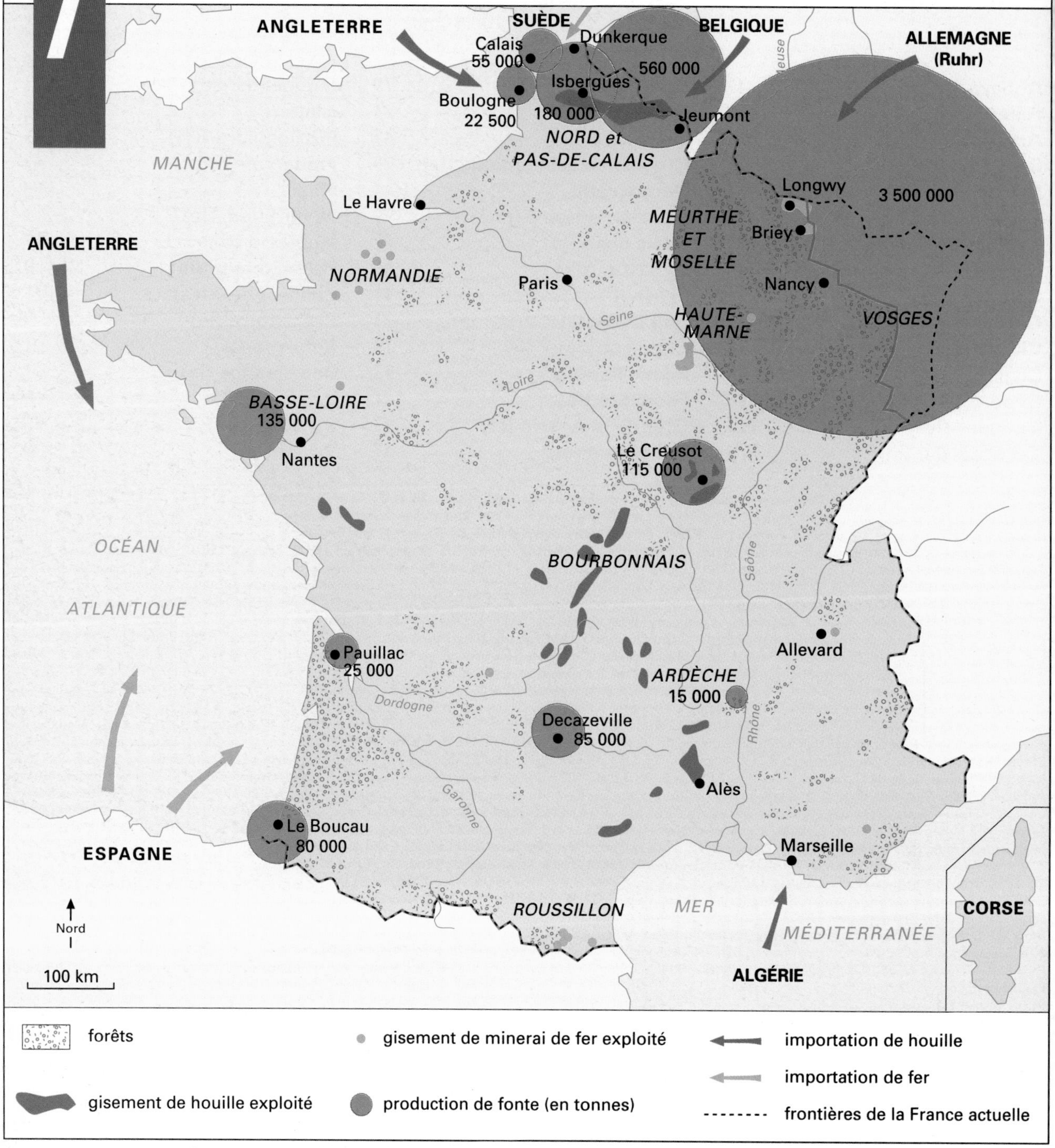

ANGLETERRE
SUÈDE
BELGIQUE
ALLEMAGNE (Ruhr)
Calais 55 000
Dunkerque
560 000
Isbergues
Boulogne 22 500
180 000
Jeumont
NORD et PAS-DE-CALAIS
MANCHE
Meuse
Longwy
3 500 000
Le Havre
MEURTHE ET MOSELLE
Briey
ANGLETERRE
NORMANDIE
Paris
Nancy
Seine
HAUTE-MARNE
VOSGES
Loire
BASSE-LOIRE 135 000
Nantes
Le Creusot 115 000
OCÉAN
BOURBONNAIS
Saône
ATLANTIQUE
Allevard
Pauillac 25 000
ARDÈCHE 15 000
Dordogne
Decazeville 85 000
Rhône
Garonne
Alès
Le Boucau 80 000
ESPAGNE
Marseille
ROUSSILLON
MER
MÉDITERRANÉE
CORSE
ALGÉRIE
Nord
100 km

forêts
gisement de minerai de fer exploité
importation de houille
importation de fer
gisement de houille exploité
production de fonte (en tonnes)
frontières de la France actuelle

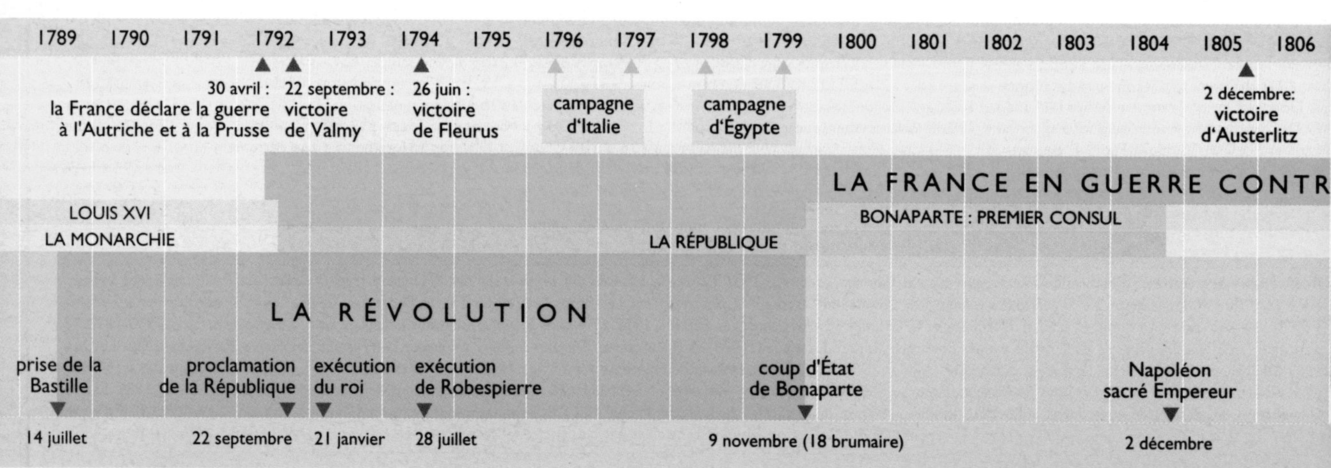

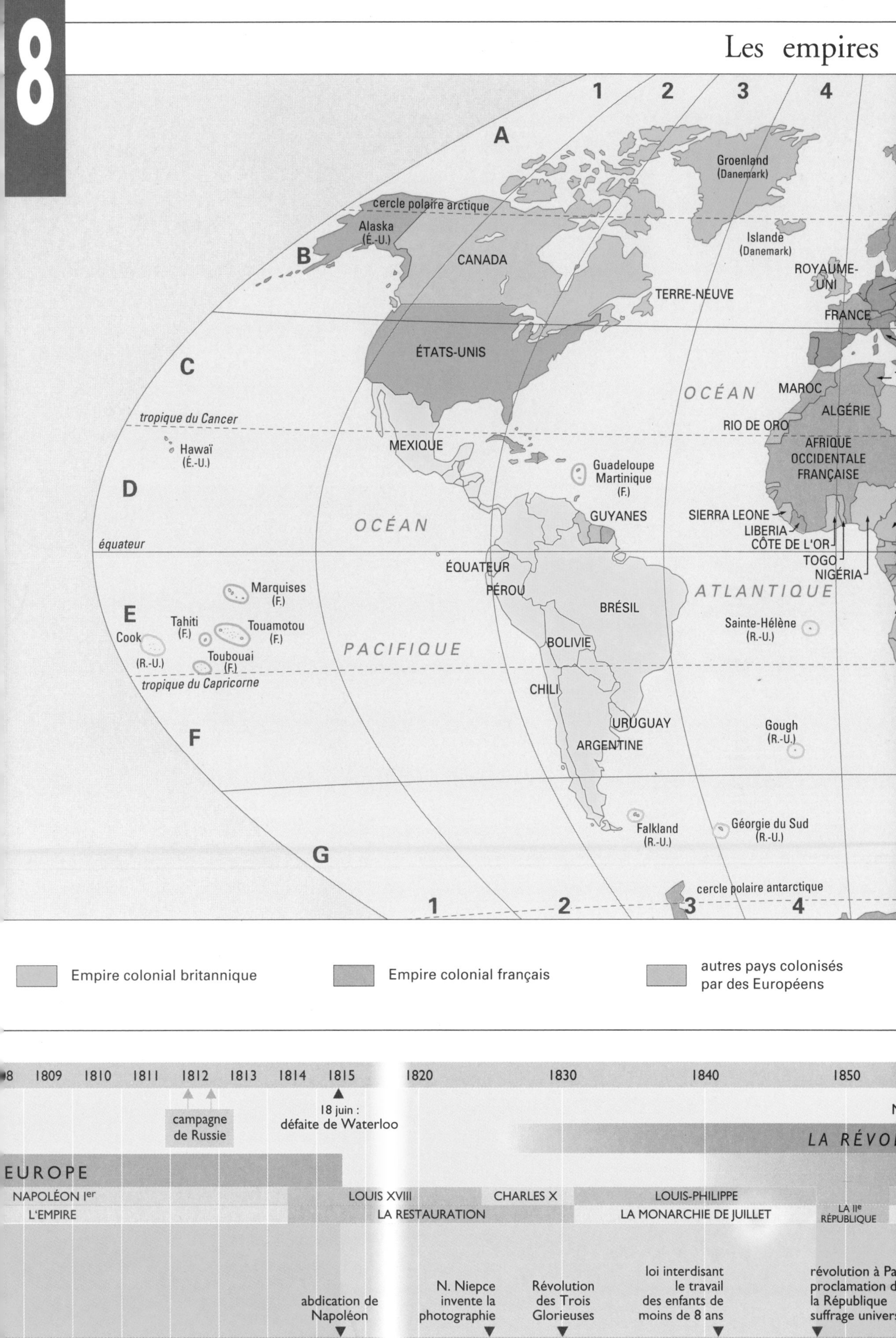
1
2
3
4
A
B
C
D
E
F
G
Groenland
(Danemark)
cercle polaire arctique
Alaska
(É.-U.)
CANADA
Islande
(Danemark)
ROYAUME-
UNI
TERRE-NEUVE
FRANCE
ÉTATS-UNIS
OCÉAN
MAROC
ALGÉRIE
tropique du Cancer
RIO DE ORO
Hawaï
(É.-U.)
MEXIQUE
AFRIQUE
OCCIDENTALE
FRANÇAISE
Guadeloupe
Martinique
(F.)
GUYANES
SIERRA LEONE
LIBERIA
CÔTE DE L'OR
TOGO
NIGÉRIA
OCÉAN
équateur
ÉQUATEUR
PÉROU
Marquises
(F.)
ATLANTIQUE
BRÉSIL
Tahiti
(F.)
Touamotou
(F.)
Cook
(R.-U.)
Sainte-Hélène
(R.-U.)
PACIFIQUE
BOLIVIE
Touboual
(F.)
tropique du Capricorne
CHILI
URUGUAY
Gough
(R.-U.)
ARGENTINE
Falkland
(R.-U.)
Géorgie du Sud
(R.-U.)
cercle polaire antarctique
Empire colonial britannique
Empire colonial français
autres pays colonisés
par des Européens
1809
1810
1811
1812
1813
1814
1815
1820
1830
1840
1850
campagne
de Russie
18 juin :
défaite de Waterloo
LA RÉVOL
EUROPE
NAPOLÉON Ier
L'EMPIRE
LOUIS XVIII
CHARLES X
LA RESTAURATION
LOUIS-PHILIPPE
LA MONARCHIE DE JUILLET
LA IIe
RÉPUBLIQUE
abdication de
Napoléon
15 juillet
N. Niepce
invente la
photographie
1825
Révolution
des Trois
Glorieuses
1830
loi interdisant
le travail
des enfants de
moins de 8 ans
1841
révolution à Pa
proclamation d
la République
suffrage univers
1848

uerre mondiale

s japonais en 1937

Axe (aux côtés de ne, de l'Italie et du

limite de la domination japonaise en 1942

limite de la domination de l'Allemagne et de ses alliés en Europe et en Afrique en 1942

bombes atomiques lancées en août 1945

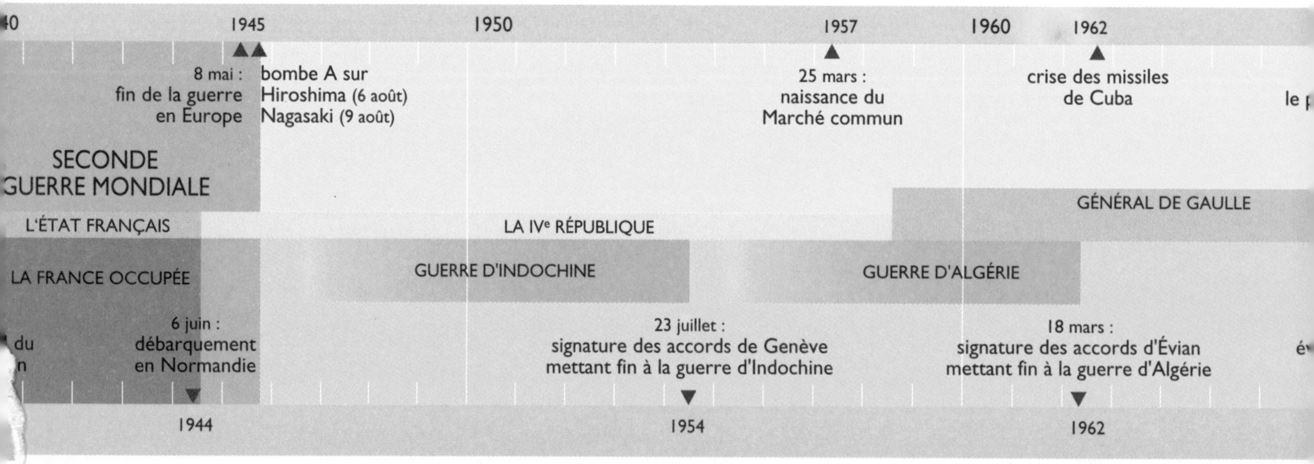

9

ROYAUME-UNI
Londres
Berlin
ALLEMAGNE
FRANCE
ITALIE
Léningrad
Moscou
Stalingrad
U. R. S. S.
OCÉAN
ATLANTIQUE
Maroc
Tunisie
El Alamein
Algérie
LIBYE
ÉGYPTE
A.-O.F. (Afrique-Occidentale française)
A.-É.F. (Afrique-Équatoriale française)
ÉTHIOPIE
SOMALIE (italienne)
équateur
CHINE
Pékin
JAPON
Hiroshima
Nagasaki
INDE
BIRMANIE
INDOCHINE
THAÏLANDE
PHILIPPINES
île Guam
Singapour
INDES NÉERLANDAISES
OCÉAN
INDIEN
AUSTRALIE
2 000 km

les Alliés (pays en guerre aux côtés du Royaume-Uni et des États-Unis)

États ou territoires favorables aux Alliés

États neutres (ne se sont engagés ni aux côtés des Alliés, ni aux côtés des États de l'Axes)

territoire

État de l'
l'Allema
Japon)

1914 — août : début de guerre
1916 — bataille de Verdun
1917 — révolution russe
1918 — 11 novembre : armistice
PREMIÈRE GUERRE MONDIALE
1920
LA IIIe RÉPUBLIQUE
1929 — grande crise économique
1930
1933 — Hitler au pouvoir en Allemagne
1936 — le Front populaire
19
app
18

coloniaux en 1914

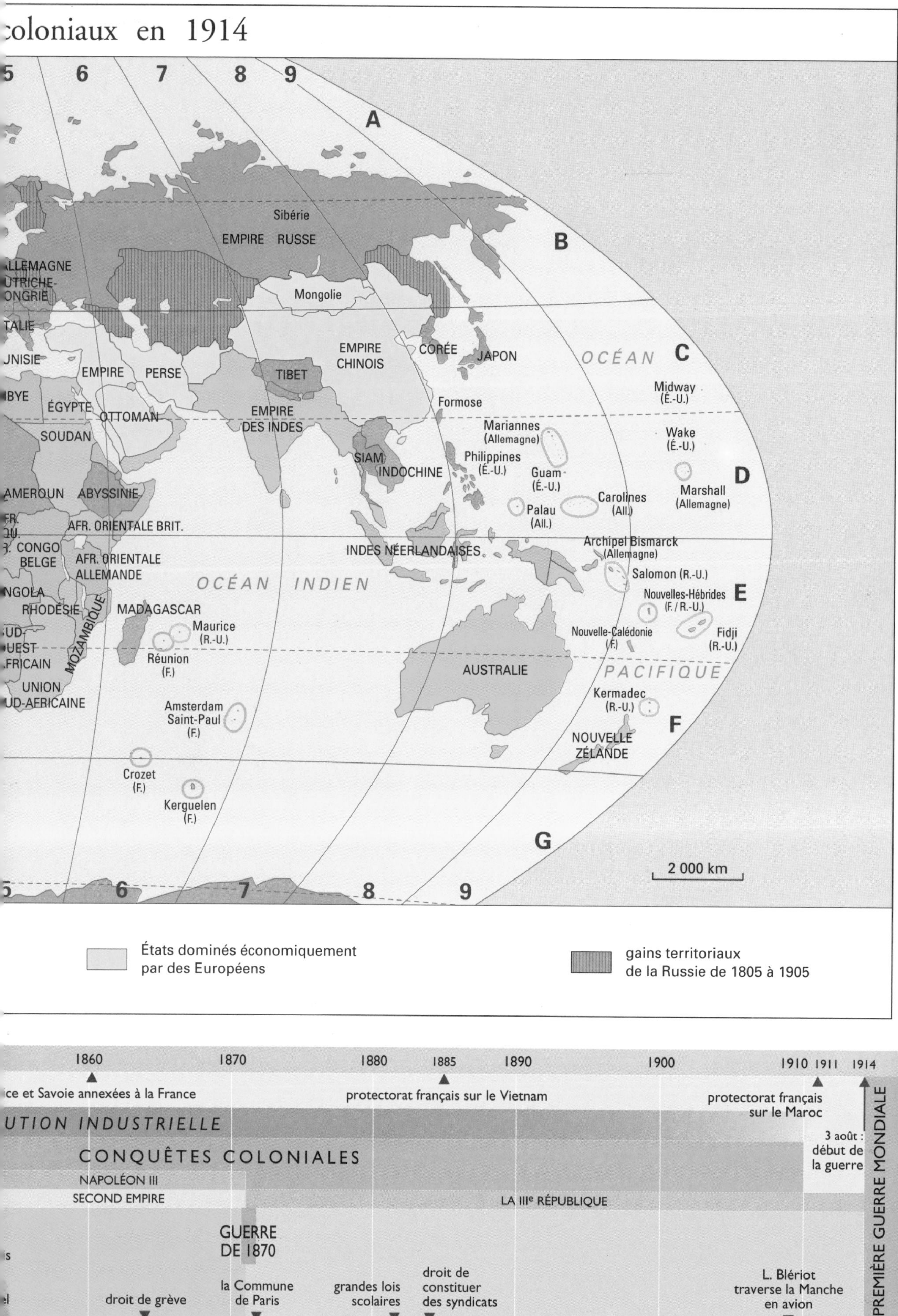

5 6 7 8 9
A
B
C
D
E
F
G
Sibérie
EMPIRE RUSSE
LLEMAGNE
UTRICHE-
ONGRIE
TALIE
Mongolie
UNISIE
EMPIRE PERSE
EMPIRE
CHINOIS
CORÉE
JAPON
TIBET
BYE
ÉGYPTE
OTTOMAN
EMPIRE
DES INDES
Formose
SOUDAN
SIAM
INDOCHINE
Philippines
(É.-U.)
Mariannes
(Allemagne)
Guam
(É.-U.)
Palau
(All.)
Carolines
(All.)
OCÉAN
Midway
(É.-U.)
Wake
(É.-U.)
Marshall
(Allemagne)
AMEROUN
ABYSSINIE
AFR. ORIENTALE BRIT.
CONGO
BELGE
AFR. ORIENTALE
ALLEMANDE
INDES NÉERLANDAISES
Archipel Bismarck
(Allemagne)
Salomon (R.-U.)
OCÉAN INDIEN
NGOLA
RHODÉSIE
MOZAMBIQUE
MADAGASCAR
Maurice
(R.-U.)
Réunion
(F.)
Nouvelles-Hébrides
(F. / R.-U.)
Nouvelle-Calédonie
(F.)
Fidji
(R.-U.)
UD-
UEST
FRICAIN
UNION
UD-AFRICAINE
AUSTRALIE
PACIFIQUE
Amsterdam
Saint-Paul
(F.)
Kermadec
(R.-U.)
NOUVELLE
ZÉLANDE
Crozet
(F.)
Kerguelen
(F.)
2 000 km
5 6 7 8 9
États dominés économiquement
par des Européens
gains territoriaux
de la Russie de 1805 à 1905
1860 1870 1880 1885 1890 1900 1910 1911 1914
ce et Savoie annexées à la France
protectorat français sur le Vietnam
protectorat français
sur le Maroc
UTION INDUSTRIELLE
CONQUÊTES COLONIALES
3 août :
début de
la guerre
NAPOLÉON III
SECOND EMPIRE
LA IIIe RÉPUBLIQUE
PREMIÈRE GUERRE MONDIALE
GUERRE
DE 1870
s
l
droit de grève
la Commune
de Paris
grandes lois
scolaires
droit de
constituer
des syndicats
L. Blériot
traverse la Manche
en avion
1864 1871 1881-82 1884 1909